COLLECTION FONDÉE EN 1984
PAR ALAIN HORIC
ET GASTON MIRON

TYPO bénéficie du soutien de la Société de développement des entreprises culturelles du Québec (SODEC) pour son programme d'édition.

Gouvernement du Québec – Programme de crédit d'impôt pour l'édition de livres – Gestion SODEC.

Nous reconnaissons l'aide financière du gouvernement du Canada par l'entremise du Fonds du livre du Canada pour nos activités d'édition.

Nous remercions le Conseil des Arts du Canada de l'aide accordée à notre programme de publication.

REFUS GLOBAL
ET AUTRES ÉCRITS

PAUL-ÉMILE BORDUAS

Refus global
et autres écrits

essais

TYPO
Une société de Québecor Média

Éditions TYPO
Groupe Ville-Marie Littérature inc.
Une société de Québecor Média
4545, rue Frontenac, 3e étage
Montréal, (Québec) H2H 2R7
Tél.: 514 523-1182
Téléc.: 514 282-7530
vml@groupevml.com

Vice-président à l'édition: Martin Balthazar

Maquette de la couverture: Anne Bérubé
Photo de la couverture: Paul-Émile Borduas, Gris sonores, huile sur toile,
63,5 x 48,3 cm, 1955. Gracieuseté de la Galerie Claude Lafitte

Catalogage avant publication de Bibliothèque et Archives nationales du Québec
et Bibliothèque et Archives Canada
Borduas, Paul-Émile, 1905-1960
Refus global et autres écrits: essais
(Typo. Essai)
Comprend des réf. bibliogr.
ISBN 978-2-89295-317-6
1. Automatisme (Mouvement) – Québec (Province).   2. Surréalisme – Québec
(Province).   3. Art québécois – 20e siècle.   4. Borduas, Paul-Émile, 1905-1960.
I. Bourassa, André-G., 1936-   .   II. Lapointe, Gilles, 1953-   .   III. Titre.
IV. Collection: Typo. Essai.
ND249.B6A25 2010   759.11   C2010-941772-0

DISTRIBUTEUR
LES MESSAGERIES ADP*
2315, rue de la Province
Longueuil, Québec J4G 1G4
Tél.: 450 640-1237
Téléc.: 450 674-6237
* filiale du Groupe Sogides inc.;
filiale de Québecor Média inc.

Pour en savoir davantage sur nos publications,
visitez notre site: editionstypo.com
Autres sites à visiter: editionsvlb.com • editionshexagone.com

Dépôt légal: 4e trimestre 2010
Bibliothèque et Archives nationales du Québec, 2010
Bibliothèque et Archives Canada

Présentation

Refus global est l'un des textes littéraires qui a eu le plus d'influence au Québec, et c'est un peintre qui l'a écrit. Ce fait, quelque peu étonnant quand on y songe, confirmerait les propos que tenait Jean Le Moyne en 1943 : « De toutes les manifestations de la vie artistique et intellectuelle au Canada français, la peinture nous semble la plus "avancée", la plus sûre de soi, celle qui fait preuve de la plus certaine maturité. » Dans la première moitié du XXᵉ siècle, la peinture québécoise connaît en effet une évolution accélérée. Elle passe des paysages enneigés de Clarence Gagnon, aux scènes du monde industriel d'Adrien Hébert, puis aux tableaux abstraits des automatistes. Cette pratique artistique en phase avec les recherches les plus audacieuses de son temps, en Europe comme en Amérique, s'était nourrie des débats intellectuels suscités par l'aventure surréaliste (les autres *Écrits* réunis ici en témoignent).

Natif de Saint-Hilaire, Paul-Émile Borduas s'initie à la peinture auprès d'un autre natif de Saint-Hilaire, Ozias Leduc, dont la partie la plus importante de l'œuvre picturale consiste en des murales d'église. Après des études à l'École des beaux-arts, Borduas assiste Leduc dans la décoration de plusieurs lieux de culte, dans une relation de maître à apprenti qui évoque celle des métiers traditionnels. Lors de son premier séjour à Paris, en 1928, il étudie aux Ateliers d'art sacré dirigés par Maurice Denis et Georges Desvallières. À une époque où le marché de l'art au Québec restait embryonnaire, l'Église catholique représentait en effet un client important pour les peintres, sculpteurs et architectes. Par manque de commandes, Borduas abandonne toutefois la peinture religieuse vers 1933 pour devenir professeur de dessin à la Commission des écoles catholiques de Montréal, puis, à partir de 1937, à l'École du meuble.

Il conserve son amitié pour les peintres d'église et, durant la guerre, il se lie avec le père dominicain Marie-Alain Couturier, qu'il avait connu chez Maurice Denis et qui est un théoricien et un artisan du renouveau de l'art sacré en France. Il fréquente aussi les intellectuels catholiques regroupés autour de *La Nouvelle Relève*, dont Robert Élie, mais leur spiritualisme ne le convainc pas. Il en parle à la fin de *Projections libérantes* : « Tous ces chrétiens désirent maintenir les valeurs spirituelles définies, ou à définir, à la lumière du christianisme. Lumière éteinte pour nous. »

Au début des années 1940, un groupe de jeunes étudiants du Collège Sainte-Marie, de l'École des beaux-arts et de l'École du meuble offre à Borduas un autre milieu intellectuel plus stimulant pour lui. Ces jeunes connaissent la revue *Minotaure* à laquelle collaboraient de nombreux peintres et écrivains surréalistes ; ils ont lu Lautréamont et André Breton ; certains sont déjà allés en France ou à New York. Les membres de cet « égrégore », comme disait un de leurs maîtres Pierre Mabille, organisent avec succès des expositions de peinture et décident, à la suggestion de Riopelle, de faire paraître un manifeste qui situerait leur action culturelle et élargirait le débat. Ce sera *Refus global*, que Borduas rédige et qu'ils signent avec lui. Publié par une maison d'édition créée pour la circonstance, Mythra-Mythe, l'ouvrage est lancé le 9 août 1948 à la librairie Tranquille.

Le scandale est immédiat. Le père Edmond Robillard, dans *Notre Temps*, puis dans *L'Action catholique*, Roger Duhamel, dans *Montréal-Matin*, et d'autres chroniqueurs attaquent le manifeste au nom de la morale chrétienne et de la raison. Gérard Pelletier, dans *Le Devoir*, reconnaît le bien-fondé de certaines critiques, mais condamne le « dogmatisme » du texte. Le 7 septembre 1948, Borduas est renvoyé de l'École du meuble par le ministre de la Jeunesse et du Bien-être social, Paul Sauvé. Le 21 septembre, Borduas convoque une conférence de presse pour pro-tester contre son renvoi : il aurait volontiers accepté de démissionner si on le lui avait demandé, puisque, de toute façon, il n'était plus d'accord avec les méthodes d'enseignement prônées à l'École du meuble. André Laurendeau, dans *Le Devoir*, condamne « l'interven-tion du pouvoir politique dans le domaine de l'éduca-tion » (comme il le fera quand Duplessis s'objectera à l'embauche de Pierre Trudeau à la Faculté de droit de l'Université de Montréal). D'autres journalistes s'élèvent contre ce renvoi. Cette polémique fait de la publicité au livre et Tranquille en écoule une bonne quantité. Cette édition originale est aujourd'hui une pièce de collection recherchée. Comme l'a dit un des signataires, le Québec avait toujours eu des libres-penseurs et des athées, mais c'était la première fois qu'on osait l'affirmer aussi publiquement.

Après la publication de *Refus global*, ses signataires se dispersent et mènent de fructueuses carrières à Montréal, à Paris ou ailleurs. En février 1959, Fernande Saint-Martin publie des articles pour commémorer le dixième anniversaire de ce manifeste qui représente, selon elle, « la plus haute affirmation de la mission de l'artiste et de l'intellectuel que nous ayons jamais entendu proférer par l'un des nôtres ». Marcel Barbeau republie le texte en 1960 dans *La Revue socialiste*. Avec la Révolution tranquille, *Refus global* apparaît rétrospectivement comme un texte prophétique et, à l'occasion de son vingtième anniversaire, en 1968, l'année de toutes les révoltes, comme une référence pour d'autres mouvements de contestation. En 1978, François-Marc Gagnon fait paraître une biographie et une analyse critique de l'œuvre de Borduas et le Musée d'art contemporain organise une exposition pour les trente ans de *Refus global* qui présente au public le manuscrit du manifeste pour la première fois depuis sa parution. Les études, débats et analyses n'ont cessé depuis de se multiplier autour de *Refus global* et de ses signataires. La charge antireligieuse de ce texte a peut-être perdu de sa pertinence, ses exigences et sa révolte continuent toutefois d'inspirer ceux qui ne se contentent pas de l'ordre des choses imposé. Entre reconnaissance officielle et subversion toujours agissante, *Refus global* est devenu un « lieu de mémoire », la première manifestation de la « modernité » au Québec, après laquelle l'invocation de la tradition n'était plus possible. Un classique pour tout dire.

NOTE DE L'ÉDITEUR. – Typo remercie les Presses de l'Université de Montréal pour leur aimable autorisation de reproduire dans la présente édition la version du texte de Borduas établie sous la direction d'André-G. Bourassa, Jean Fisette et Gilles Lapointe, et parue sous le titre *Écrits I* dans la « Bibliothèque du Nouveau Monde » en 1987.

REFUS GLOBAL

REJETONS DE MODESTES FAMILLES cana-
diennes-françaises, ouvrières ou petites
bourgeoises, de l'arrivée au pays à nos
jours restées françaises et catholiques par
résistance au vainqueur, par attachement
arbitraire au passé, par plaisir et orgueil
sentimental et autres nécessités.

Colonie précipitée dès 1760 dans les
murs lisses de la peur, refuge habituel des
vaincus ; là, une première fois abandon-
née. L'élite reprend la mer ou se vend au
plus fort. Elle ne manquera plus de le faire
chaque fois qu'une occasion sera belle.

Un petit peuple serré de près aux sou-
tanes restées les seules dépositaires de la
foi, du savoir, de la vérité et de la richesse
nationale. Tenu à l'écart de l'évolution

universelle de la pensée pleine de risques et de dangers, éduqué sans mauvaise volonté, mais sans contrôle, dans le faux jugement des grands faits de l'histoire quand l'ignorance complète est impraticable.

Petit peuple issu d'une colonie janséniste, isolé, vaincu, sans défense contre l'invasion de toutes les congrégations de France et de Navarre, en mal de perpétuer en ces lieux bénis de la peur (c'est-le-commencement-de-la-sagesse!) le prestige et les bénéfices du catholicisme malmené en Europe. Héritières de l'autorité papale, mécanique, sans réplique, grands maîtres des méthodes obscurantistes, nos maisons d'enseignement ont dès lors les moyens d'organiser en monopole le règne de la mémoire exploiteuse, de la raison immobile, de l'intention néfaste.

Petit peuple qui malgré tout se multiplie dans la générosité de la chair sinon dans celle de l'esprit, au nord de l'immense Amérique au corps sémillant de la jeunesse au cœur d'or, mais à la morale

simiesque, envoûtée par le prestige anni-
hilant du souvenir des chefs-d'œuvre
d'Europe, dédaigneuse des authentiques
créations de ses classes opprimées.

Notre destin sembla durement fixé.

Des révolutions, des guerres extérieures brisent cependant l'étanchéité du
charme, l'efficacité du blocus spirituel.

Des perles incontrôlables suintent
hors les murs.

Les luttes politiques deviennent âpre-
ment partisanes. Le clergé contre tout
espoir commet des imprudences.

Des révoltes suivent, quelques exécu-
tions capitales succèdent. Passionnément
les premières ruptures s'opèrent entre le
clergé et quelques fidèles.

Lentement la brèche s'élargit, se rétré-
cit, s'élargit encore.

Les voyages à l'étranger se multiplient.
Paris exerce toute l'attraction. Trop étendu
dans le temps et dans l'espace, trop mobile
pour nos âmes timorées, il n'est souvent
que l'occasion d'une vacance employée à

parfaire une éducation sexuelle retarda-
taire et à acquérir, du fait d'un séjour en
France, l'autorité facile en vue de l'exploitation améliorée de la foule au retour. À
bien peu d'exceptions près, nos médecins,
par exemple (qu'ils aient ou non voyagé)
adoptent une conduite scandaleuse (il-
faut-bien-n'est-ce-pas-payer-ces-longues-
années-d'études!).

Des œuvres révolutionnaires, quand
par hasard elles tombent sous la main,
paraissent les fruits amers d'un groupe
d'excentriques. L'activité académique a un
autre prestige à notre manque de jugement.

Ces voyages sont aussi dans le nombre
l'exceptionnelle occasion d'un réveil.

L'inviable s'infiltre partout. Les lectu-
res défendues se répandent. Elles apportent un peu de baume et d'espoir.

Des consciences s'éclairent au contact
vivifiant des poètes maudits : ces hommes qui, sans être des monstres, osent
exprimer haut et net ce que les plus
malheureux d'entre nous étouffent tout

bas dans la honte de soi et de la terreur d'être engloutis vivants. Un peu de lumière se fait à l'exemple de ces hommes qui acceptent les premiers les inquiétudes présentes, si douloureuses, si filles perdues. Les réponses qu'ils apportent ont une autre valeur de trouble, de précision, de fraîcheur que les sempiternelles rengaines proposées au pays du Québec et dans tous les séminaires du globe.

Les frontières de nos rêves ne sont plus les mêmes.

Des vertiges nous prennent à la tombée des oripeaux d'horizons naguère surchargés.

La honte du servage sans espoir fait place à la fierté d'une liberté possible à conquérir de haute lutte.

Au diable le goupillon et la tuque !

Mille fois ils extorquèrent ce qu'ils donnèrent jadis.

Par-delà le christianisme nous touchons la brûlante fraternité humaine dont il est devenu la porte fermée.

Le règne de la peur multiforme est terminé.

Dans le fol espoir d'en effacer le souvenir je les énumère :

peur des préjugés – de l'opinion
publique – des persécutions –
de la réprobation générale

peur d'être seul sans Dieu
et la société qui isolent très
infailliblement

peur de soi – de son frère –
de la pauvreté

peur de l'ordre établi –
de la ridicule justice

peur des relations neuves

peur du surrationnel

peur des nécessités

peur des écluses grandes ouvertes
sur la foi en l'homme –
en la société future

peur de toutes les formes
susceptibles de déclencher
un amour transformant

peur bleue – peur rouge – peur
blanche : maillons de notre chaîne.

Du règne de la peur soustrayante nous
passons à celui de l'angoisse.

Il aurait fallu être d'airain pour rester
indifférent à la douleur des partis pris de
gaieté feinte, des réflexes psychologiques
des plus cruelles extravagances : maillot
de cellophane du poignant désespoir présent (comment ne pas crier à la lecture
de la nouvelle de cette horrible collection
d'abat-jour faits de tatouages prélevés sur
de malheureux captifs à la demande d'une
femme élégante ; ne pas gémir à l'énoncé
interminable des supplices des camps de
concentration ; ne pas avoir froid aux os à
la description des cachots espagnols, des
représailles injustifiables, des vengeances
à froid). Comment ne pas frémir devant
la cruelle lucidité de la science.

À ce règne de l'angoisse toute-puissante succède celui de la nausée.

Nous avons été écœurés devant l'apparente inaptitude de l'homme à corriger les maux. Devant l'inutilité de nos efforts, devant la vanité de nos espoirs passés.

Depuis des siècles les généreux objets de l'activité poétique sont voués à l'échec fatal sur le plan social, rejetés violemment des cadres de la société avec tentative ensuite d'utilisation dans le gauchissement irrévocable de l'intégration, de la fausse assimilation.

Depuis des siècles les splendides révolutions aux seins regorgeant de sève sont écrasées à mort après un court moment d'espoir délirant, dans le glissement à peine interrompu de l'irrémédiable descente:

les révolutions françaises
la révolution russe
la révolution espagnole

avortée dans une mêlée internationale, malgré les vœux impuissants de tant d'âmes simples du monde.

Là encore, la fatalité fut plus forte que la générosité.

Ne pas avoir la nausée devant les récompenses accordées aux grossières cruautés, aux menteurs, aux faussaires, aux fabricants d'objets mort-nés, aux affineurs, aux intéressés à plat, aux calculateurs, aux faux guides de l'humanité, aux empoisonneurs des sources vives.

Ne pas avoir la nausée devant notre propre lâcheté, notre impuissance, notre fragilité, notre incompréhension.

Devant les désastres de nos amours...

En face de la constante préférence accordée aux chères illusions contre les mystères objectifs.

Où est le secret de cette efficacité de malheur imposée à l'homme et par l'homme seul, sinon dans notre acharnement à défendre la civilisation qui préside aux destinées des nations dominantes.

Les États-Unis, la Russie, l'Angleterre, la France, l'Allemagne, l'Italie et
l'Espagne : héritières à la dent pointue
d'un seul décalogue, d'un même évangile.

La religion du Christ a dominé l'univers. Voyez ce qu'on en a fait : des fois
sœurs sont passées à des exploitations
sœurettes.

Supprimez les formes précises de la
concurrence des matières premières, du
prestige, de l'autorité et elles seront parfaitement d'accord. Donnez la suprématie
à qui vous voudrez, le complet contrôle
de la terre à qui vous plaira, et vous aurez
les mêmes résultats fonciers, sinon avec
les mêmes arrangements des détails.

Toutes sont au terme de la civilisation
chrétienne.

La prochaine guerre mondiale en
verra l'effondrement dans la suppression
des possibilités de concurrence internationale.

Son état cadavérique frappera les yeux
encore fermés.

La décomposition commencée au XIVe siècle donnera la nausée aux moins sensibles.

Son exécrable exploitation, maintenue tant de siècles dans l'efficacité au prix des qualités les plus précieuses de la vie, se révélera enfin à la multitude de ses victimes : dociles esclaves d'autant plus acharnés à la défendre qu'ils étaient plus misérables.

L'écartèlement aura une fin.

*   *
*

La décadence chrétienne aura entraîné dans sa chute tous les peuples, toutes les classes qu'elle aura touchées, dans l'ordre de la première à la dernière, de haut en bas.

Elle atteindra dans la honte l'équivalence renversée des sommets du XIIIe siècle.

Au XIIIe siècle, les limites permises à l'évolution de la formation morale des relations englobantes du début atteintes, l'intuition cède la première place à la raison. Graduellement l'acte de foi fait place à l'acte calculé. L'exploitation commence au sein de la religion par l'utilisation intéressée des sentiments existants, immobilisés; par l'étude rationnelle des textes glorieux au profit du maintien de la suprématie obtenue spontanément.

L'exploitation rationnelle s'étend lentement à toutes les activités sociales : un rendement maximum est exigé.

La foi se réfugie au cœur de la foule, devient l'ultime espoir d'une revanche, l'ultime compensation. Mais là aussi, les espoirs s'émoussent.

En haut lieu, les mathématiques succèdent aux spéculations métaphysiques devenues vaines.

L'esprit d'observation succède à celui de transfiguration.

La méthode introduit les progrès imminents dans le limité. La décadence se fait aimable et nécessaire : elle favorise la naissance de nos souples machines au déplacement vertigineux, elle permet de passer la camisole de force à nos rivières tumultueuses en attendant la désintégration à volonté de la planète. Nos instruments scientifiques nous donnent d'extraordinaires moyens d'investigation, de contrôle des trop petits, trop rapides, trop vibrants, trop lents ou trop grands pour nous. Notre raison permet l'envahissement du monde, mais d'un monde où nous avons perdu notre unité.

L'écartèlement entre les puissances psychiques et les puissances raisonnantes est près du paroxysme.

Les progrès matériels, réservés aux classes possédantes, méthodiquement freinés, ont permis l'évolution politique avec l'aide des pouvoirs religieux (sans eux ensuite) mais sans renouveler les fondements de notre sensibilité, de notre subconscient, sans permettre la pleine évolution émotive de la foule qui seule aurait pu nous sortir de la profonde ornière chrétienne.

La société née dans la foi périra par l'arme de la raison: l'INTENTION.

La régression fatale de la puissance morale collective en puissance strictement individuelle et sentimentale a tissé la doublure de l'écran déjà prestigieux du savoir abstrait sous laquelle la société se dissimule pour dévorer à l'aise les fruits de ses forfaits.

Les deux dernières guerres furent nécessaires à la réalisation de cet état absurde. L'épouvante de la troisième sera décisive. L'heure H du sacrifice total nous frôle.

Déjà les rats européens tentent un pont de fuite éperdue sur l'Atlantique. Les événements déferleront sur les voraces, les repus, les luxueux, les calmes, les aveugles, les sourds.

Ils seront culbutés sans merci.

Un nouvel espoir collectif naîtra.

Déjà il exige l'ardeur des lucidités exceptionnelles, l'union anonyme dans la foi retrouvée en l'avenir, en la collectivité future.

Le magique butin magiquement conquis à l'inconnu attend à pied d'œuvre. Il fut rassemblé par tous les vrais poètes. Son pouvoir transformant se mesure à la violence exercée contre lui, à sa résistance ensuite aux tentatives d'utilisation (après plus de deux siècles, Sade reste introuvable en librairie; Isidore Ducasse, depuis plus d'un siècle qu'il est mort, de révolutions, de carnages, malgré l'habitude du cloaque actuel reste trop viril pour les molles consciences contemporaines).

Tous les objets du trésor se révèlent inviolables par notre société. Ils demeurent l'incorruptible réserve sensible de demain. Ils furent ordonnés spontanément hors et contre la civilisation. Ils attendent pour devenir actifs (sur le plan social) le dégagement des nécessités actuelles.

D'ici là notre devoir est simple.

Rompre définitivement avec toutes les habitudes de la société, se désolidariser de son esprit utilitaire. Refus d'être sciemment au-dessous de nos possibilités psychiques et physiques. Refus de fermer les yeux sur les vices, les duperies perpétrées sous le couvert du savoir, du service rendu, de la reconnaissance due. Refus d'un cantonnement dans la seule bourgade plastique, place fortifiée mais trop facile d'évitement. Refus de se taire, – faites de nous ce qu'il vous plaira mais vous devez nous entendre – refus de la gloire, des honneurs (le premier consenti) : stigmates de la nuisance, de l'inconscience, de la servilité. Refus de servir, d'être utilisable pour de telles fins. Refus de toute INTENTION, arme néfaste de la RAISON. À bas toutes deux, au second rang !

PLACE À LA MAGIE ! PLACE AUX
MYSTÈRES OBJECTIFS
PLACE À L'AMOUR !
PLACE AUX NÉCESSITÉS !

Au refus global nous opposons la responsabilité entière.

L'action intéressée reste attachée à son auteur, elle est mort-née.

Les actes passionnels nous fuient en raison de leur propre dynamisme.

Nous prenons allégrement l'entière responsabilité de demain. L'effort rationnel, une fois retourné en arrière, il lui revient de dégager le présent des limbes du passé.

Nos passions façonnent spontanément, imprévisiblement, nécessairement le futur.

Le passé dut être accepté avec la naissance, il ne saurait être sacré. Nous sommes toujours quittes envers lui.

Il est naïf et malsain de considérer les hommes et les choses de l'histoire dans l'angle amplificateur de la renommée qui leur prête des qualités inaccessibles à l'homme présent. Certes, ces qualités sont hors d'atteinte aux habiles singeries académiques, mais elles le sont automatiquement chaque fois qu'un homme obéit aux nécessités profondes de son être ;

chaque fois qu'un homme consent à être un homme neuf dans un temps nouveau. Définition de tout homme, de tout temps.

Fini l'assassinat massif du présent et du futur à coups redoublés du passé.

Il suffit de dégager d'hier les nécessités d'aujourd'hui. Au meilleur, demain ne sera que la conséquence imprévisible du présent.

Nous n'avons pas à nous en soucier avant qu'il ne soit.

Règlement final des comptes

Les forces organisées de la société nous reprochent notre ardeur à l'ouvrage, le débordement de nos inquiétudes, nos excès comme une insulte à leur mollesse, à leur quiétude, à leur bon goût pour ce qui est de la vie (généreuse, pleine d'espoir et d'amour par habitude perdue).

Les amis du régime nous soupçonnent de favoriser la « Révolution ». Les amis de la « Révolution » de n'être que des révoltés : « … nous protestons contre ce qui est, mais dans l'unique désir de le transformer, non de le changer. »

Si délicatement dit que ce soit, nous croyons comprendre.

Il s'agit de classe.

On nous prête l'intention naïve de vouloir « transformer » la société en remplaçant les hommes au pouvoir par d'autres semblables. Alors, pourquoi pas eux, évidemment !

Mais c'est qu'eux ne sont pas de la même classe ! Comme si changement de classe impliquait changement de civilisation, changement de désirs, changement d'espoir !

Ils se dévouent à salaire fixe, plus un boni de vie chère, à l'organisation du prolétariat ; ils ont mille fois raison. L'ennui est qu'une fois la victoire bien assise, en plus des petits salaires actuels, ils exigeront sur le dos du même prolétariat, toujours, et toujours de la même manière, un règlement de frais supplémentaires et un renouvellement à long terme, sans discussion possible.

Nous reconnaissons quand même qu'ils sont dans la lignée historique. Le salut ne pourra venir qu'après le plus grand excès de l'exploitation.

Ils seront cet excès.

Ils le seront en toute fatalité sans qu'il y ait besoin de quiconque en particulier. La ripaille sera plantureuse. D'avance nous en avons refusé le partage.

Voilà notre « abstention coupable ».

À vous la curée rationnellement ordonnée (comme tout ce qui est au sein affectueux de la décadence) ; à nous l'imprévisible passion ; à nous le risque total dans le refus global.

(Il est hors de volonté que les classes sociales se soient succédé au gouvernement des peuples sans pouvoir autre chose que poursuivre l'irrévocable décadence. Hors de volonté que notre connaissance historique nous assure que seul un complet épanouissement de nos facultés d'abord, et ensuite, un parfait renouvellement des sources émotives puissent nous sortir de l'impasse et nous mettre dans la voie d'une civilisation impatiente de naître.)

Tous, gens en place, aspirants en place, veulent bien nous gâter, si seulement nous consentions à ménager leurs possibilités de gauchissement par un dosage savant de nos activités.

La fortune est à nous si nous rabattons nos visières, bouchons nos oreilles, remontons nos bottes et hardiment frayons dans le tas, à gauche, à droite.

Nous préférons être cyniques spontanément, sans malice.

Des gens aimables sourient au peu de succès monétaire de nos expositions collectives. Ils ont ainsi la charmante impression d'être les premiers à découvrir leur petite valeur marchande.

Si nous tenons exposition sur exposition, ce n'est pas dans l'espoir naïf de

faire fortune. Nous savons ceux qui possèdent aux antipodes d'où nous sommes.
Ils ne sauraient impunément risquer ces
contacts incendiaires.

Dans le passé, des malentendus involontaires ont permis seuls de telles ventes.

Nous croyons ce texte de nature à
dissiper tous ceux de l'avenir.

Si nos activités se font pressantes, c'est
que nous ressentons violemment l'urgent
besoin de l'union.

Là, le succès éclate !

Hier, nous étions seuls et indécis.

Aujourd'hui un groupe existe aux
ramifications profondes et courageuses ;
déjà elles débordent les frontières.

Un magnifique devoir nous incombe
aussi : conserver le précieux trésor qui
nous échoit. Lui aussi est dans la lignée
de l'histoire.

Objets tangibles, ils requièrent une
relation constamment renouvelée,
confrontée, remise en question. Relation
impalpable, exigeante qui demande les
forces vives de l'action.

Ce trésor est la réserve poétique, le renouvellement émotif où puiseront les siècles à venir. Il ne peut être transmis que TRANSFORMÉ, sans quoi c'est le gauchissement.

Que ceux tentés par l'aventure se joignent à nous.

Au terme imaginable, nous entrevoyons l'homme libéré de ses chaînes inutiles, réaliser dans l'ordre imprévu, nécessaire de la spontanéité, dans l'anarchie resplendissante, la plénitude de ses dons individuels.

D'ici là, sans repos ni halte, en communauté de sentiment avec des assoiffés d'un mieux-être, sans crainte des longues échéances, dans l'encouragement ou la persécution, nous poursuivrons dans la joie notre sauvage besoin de libération.

Paul-Émile BORDUAS

Magdeleine ARBOUR, Marcel BARBEAU, Bruno CORMIER, Claude GAUVREAU, Pierre GAUVREAU, Muriel GUILBAULT, Marcelle FERRON-HAMELIN, Fernand

PAUL-ÉMILE BORDUAS

LEDUC, Thérèse LEDUC, Jean-Paul
MOUSSEAU, Maurice PERRON, Louise
RENAUD, Françoise RIOPELLE, Jean-Paul
RIOPELLE, Françoise SULLIVAN.

PROJECTIONS LIBÉRANTES

Un sursis est accordé à la misère noire prochaine.

Un sursis de six mois, d'un an peut-être, si nous sommes bien sages!

Ce congé tentateur me hante. Il répond à un vieil écho: ENFIN LIBRE DE PEINDRE.

Comme d'autres espoirs, de joie longtemps caressée d'avance, le moment vient-il par hasard, provisoire, accidentel, que je le reconnais à peine et passe outre dédaigneux.

Une exigence plus ancienne, profonde, familière et tyrannique, me laisse entrevoir pour plus tard – toujours plus tard – à la condition de la pire sévérité, dans l'acceptation du sacrifice de tout ce que je juge secondaire, les joies indéfinies d'un accord parfait du social et du particulier.

Cet espoir d'un dynamisme irrésistible sans cesse m'entraîne au tourbillon des périlleuses aventures spirituelles. Il sait faire miroiter, à mes yeux éblouis, les certitudes trompeuses toujours retardées – d'un amour désormais parfait dans une connaissance complète, d'un embrassement sans voile avec la réalité présente par l'assimilation du passé.

Mais je sais aussi, comme distraitement, que ce comportement justifie à lui seul le présent. Qu'importe l'ÉTERNEL, le CIEL et l'ENFER, puisqu'il permet à lui seul l'intensive culture des talents individuels ; puisqu'il permet à lui seul la moisson plantureuse d'œuvres brûlantes d'hommes passionnément se libérant ; puisque seul il permet l'entière réalisation du présent – du présent viable que dans cette ligne de force ; puisque seul ce comportement assurera la rectitude de demain, par la plénitude d'aujourd'hui.

L'autre comportement le fini, le limité dans le but immédiat, l'infâme, malgré l'assurance depuis longtemps sans force de l'éternel, du ciel et de l'enfer, est asséchant. Les dons les plus précieux meurent sur place sans même manifester leur présence. Il permet aussi à des voraces une odieuse passion égoïste destructrice des joies de vivre. Il avantage les malhonnêtes, les fourbes, les hypocrites dans la lutte pour la puissance, en leur permettant les déguisements profitables de la bienfaisance, de la servilité. Il leur permet d'adopter, devant la foule, l'attitude de défenseur d'abstractions détachées de tout geste, de tout objet : abstractions à tout jamais sans représailles contre leurs forfaits. Ces individus sont dès lors invulnérables sous le couvert de Dieu, de la Vérité, de la Justice, de la Charité.

Encore une fois j'obéirai aux nécessités premières de mon être : nécessités ennemies des intérêts immédiats et grossiers. Je tenterai cette troisième expérience d'écriture. Certes, on la trouvera maladroite comme si le français n'était plus bon qu'à de vains plaisirs littéraires ! Comme s'il lui était maintenant interdit d'exprimer l'espoir, la crainte, la certitude, l'amour et la réprobation la plus primaire ! La plus primaire ?

Donnez-lui le sens qu'il vous plaira. Je n'envie ni ne regrette vos plaisirs trouvés aux ciselures adroites de formes vides d'émoi ; je n'envie ni ne regrette l'hypertrophie de votre mémoire ; je n'envie ni ne regrette ces jeux savants.

Je tenterai cette troisième expérience d'écriture ; quoique je sache ce qu'il en coûte, j'ignore encore ce que ça peut donner.

Des positions réputées inattaquables devront subir l'assaut. Non pas que les réponses de la coalition des forces AVEUGLES – INTÉRESSÉS, qui défend ces positions, soient inconnues ou profitables. Aux questions dangereuses elle applique le bâillon. Au besoin elle interdit au questionneur la possibilité d'exercer une fonction sociale sur laquelle une famille pouvait compter pour sa substance.

Ce sont les seules réponses apparentes à de tels actes.

Les autres réponses demeurent cachées. Ceux à qui ces risques pris sont nécessaires se taisent : avares de leur surprise, de leur émoi. Je ne m'en plains pas. La vigueur d'une œuvre, sa « prudence », se mesure à la hauteur des obstacles affrontés, des difficultés vaincues. Je suis d'accord avec ces conditions ; d'avance je les accepte. C'est sans mérite d'ailleurs, à mon sujet je suis sans crainte et sans reproche. La mort m'attend oublieuse et sereine, à la limite de la peine ou au terme de la joie…

L'avenir prochain de Janine, de Renée, de Paulo, me cause plus de tourments : impuissant à orienter même une fraction de mon temps vers des activités strictement lucratives.

Nous n'y pouvons rien quelques-uns.

Ensemble nous entreprendrons cette extravagance de vivre sous la dictée d'une conscience aiguisée, dans la franche honnêteté… et nous verrons bien! Le pire ne saurait être qu'une catastrophe, ça vaudrait encore mieux qu'une fausse réussite.

Que les exploiteurs des désirs actuels de la foule ne clament pas trop haut leur état privilégié. Les brillantes apparences acquises à la faveur de l'inconscience ou de la malhonnêteté sont sans espoir. Seules les exigences extrêmes justifient et le présent et l'avenir.

Une foi inaltérable me confirme en la victoire finale. Elle combat toutes les angoisses. C'est le cœur ferme que j'enfonce dans l'obscurité. Il faudra vaincre les turpitudes et obéir aux fières nécessités, ou ne plus vivre. L'essentiel assuré selon les exigences de la conscience, le reste devra venir par surcroît. Il y a assez d'hommes aux certitudes identiques pour que, une fois les contacts réalisés pardessus les frontières, le volume des échanges s'établisse suffisant aux besoins de tous les jours. La preuve en sera tentée, non mathématiquement, ou par un beau développement rationnel, mais spontanément comme la vie et dans la vie.

Les longs raisonnements me laissent émerveillé de leurs ingéniosités, de leurs rigueurs parfois; mais me font oublier, en cours de route, l'objet qu'ils désiraient mieux faire connaître. Cette méthode est épatante pour nous distraire des contacts douloureux. Elle nous permet d'entrevoir des sujets si éloignés du point de départ qu'ils en sont inoffensifs. Aux raisonnements mon intelligence préfère les projections plus immédiates, plus convaincantes; je les crois douées d'un pouvoir suffisant pour entraîner des transformations inattendues et profondes.

Au seuil de cette phase neuve où les habitudes anciennes seront vaines, à l'orée de la forêt vierge des possibilités cependant entrevues, je dois projeter sur l'écran lumineux une large tranche de mes activités passées demeurées dans la pénombre d'une action ininterrompue. Le geste arbitraire d'un ministre, en brisant une carrière, aura créé, je crois, le recul suffisant à la prise de conscience du travail accompli.

* *
*

Remontons à la fin de septembre 1927.

Le jeune homme, que je suis alors, se rend à l'École des beaux-arts, qu'il connaît depuis le jour de son ouverture au public par Emmanuel Fougerat en novembre 1923, pour y saluer camarades et professeurs qu'il n'a pas revus des vacances, et s'inscrire aux épreuves du premier diplôme promis pour l'année scolaire qui s'avance.

Sur le palier du monumental escalier de marbre et de bronze, aux pieds de la Diane de plâtre noir, le concierge l'avertit que monsieur Miller désire le voir à l'École du Plateau. Le jeune homme ignore tout de monsieur Miller, de l'École du Plateau. Aux sollicitations, le concierge monsieur Carrière oppose une douce mais ferme résistance. Le lieu indiqué est près, le jeune homme s'y rend le cœur troublé d'un espoir vague et d'une crainte imprécise, injustifiable. Là, il rencontre monsieur Miller et apprend qu'il est reçu par le directeur du district centre de la Commission des écoles catholiques de Montréal. Un engagement attend sa signature à titre de professeur de dessin; conditions: demi-temps, salaire annuel $750.

L'année précédente, le directeur de l'École des beaux-arts, monsieur Charles Maillard, avait fait miroiter aux futurs finissants un salaire double pour le même emploi, et entretenait inconsidérément en eux l'impression que dès l'année suivante ils entreraient tous à la Commission scolaire. Comme s'il y eût autant de places vacantes qu'ils étaient d'élèves.

Certes, j'étais surpris de la facilité avec laquelle on pouvait devenir professeur ! n'ayant jamais pensé que cela pût être aussi simple. Cependant je compare les deux salaires. Déçu, je fais la moue et assure monsieur Miller qu'on m'avait fait croire à la possibilité du double. Qu'il vaudrait peut-être mieux voir Maillard avant d'accepter ces conditions. Monsieur Miller rétorque : « Monsieur Maillard n'a rien à faire à ça. Ce salaire est statutaire… D'ailleurs Maillard est à Québec, et je ne peux plus attendre ; il y a près de trois semaines déjà que les cours sont commencés. C'est à prendre ou à laisser. Si cette place ne fait pas votre affaire, je connais vingt-cinq dessinateurs qui seraient heureux de l'accepter sur-le-champ. » Sans plus marchander, le jeune homme que je suis signe le contrat qui le lie. Il était le premier élève des cours réguliers des Beaux-Arts à entrer à la Commission scolaire.

Mi-heureux, mi-inquiet, il apprend au téléphone la nouvelle à son vieil ami de Saint-Hilaire, monsieur Ozias Leduc, et retourne rue Saint-Urbain.

Là, il interroge de nouveau monsieur Carrière. Devant le geste accompli, le concierge dévoile quelques-unes des circonstances du choix de monsieur Miller : celui-ci a connu le père du jeune homme, il est du même village et du même âge, ils se sont cependant rarement revus depuis leur jeunesse ; monsieur Miller fréquente régulièrement l'École des beaux-arts ; il a suivi, à l'insu du jeune homme, son travail d'élève ; enfin il est le beau-frère du concierge, ce qui semble éclairer davantage toute l'histoire.

L'aubaine apparaît plus généreuse, la déception pécuniaire disparaît et c'est au comble de la joie que je rencontre, dans le grand escalier stupidement prétentieux, monsieur Félix. La conversation sitôt engagée, je lui fais part de la bonne nouvelle ; imprévisiblement monsieur Félix répond : « Ha !! ?! ? » tourne les talons et remonte l'escalier. Sidéré, le jeune homme que je suis esquisse sur place une grimace interrogative...

Il dut attendre le retour du patron de Québec pour avoir l'explication de ce « Ha » étrange ; elle n'était pas moins surprenante que le reste. Car, à sa stupéfaction, Mallard tente de lui faire croire qu'il a malhonnêtement, en faisant jouer des ficelles politiques (pensez donc ! même l'expression en était inconnue dans ma famille) pris la place réservée à son meilleur ami, Léopold. (Si je ne le nomme pas plus clairement, c'est qu'il est sans arme et que l'on pourrait encore lui nuire ; c'est aussi parce qu'il n'est pas responsable, d'aucune manière, de cette complication.) Le jeune homme eut beau se débattre avec passion, rien n'y fit. La version était bonne à des fins qu'il ignore encore ; elle se répandit rapidement dans l'école.

Monsieur Charpentier, deuxième acolyte de Mallard (Félix était à droite, l'autre à gauche) chuchotait le soir à mes camarades que j'avais joué un tour de « cochon » à Léopold et que sans cela Maillard aurait pu tous les placer à la Commission !

Le jeune homme que j'étais retourne à l'École du Plateau et offre de démissionner. Monsieur Miller le dissuade en l'assurant que d'aucune façon la place n'irait à son ami. Sa décision est définitive là-dessus. Cet entêtement laisse le jeune homme perplexe et le mieux qu'il trouve est encore de dire à Léopold ce qu'il sait de l'affaire. Son ami n'a pas, lui, de version officielle à soutenir. L'explication est simple et cordiale. L'année se passe tant bien que mal. Les épreuves du diplôme accomplies, le jeune homme que je cesserai d'être ne remettra plus les pieds dans la boîte au bel escalier, sauf une fois, en 1932 peut-être, sur l'invitation d'aller recevoir son diplôme de la main du Secrétaire de la province, l'honorable Athanase David.

Cette soirée est gravée dans ma mémoire : le directeur nous traita tous comme si nous eussions été des intrus. Les discours du ministre, du directeur, me montrèrent le chemin que déjà j'avais parcouru. Le lendemain, à monseigneur Maurault qui m'avait conseillé d'être « bon prince » et d'aller recevoir mon diplôme, aux questions qu'il me pose sur la soirée de la veille, je fais part des erreurs philosophiques graves exprimées dans ces discours. Monseigneur m'assure, toujours conciliant, que cela se corrigera avec le temps ; mais, sur-le-champ, je réalise que monseigneur n'y sera jamais pour rien : mon sentiment de solitude s'accentue d'autant. Je sais d'ores et déjà que je ne devrai plus compter que sur moi-même et en une Providence de plus en plus lointaine !

Dans ma hâte d'en finir avec l'École des beaux-arts, je vous ai entraînés un peu loin, il faut revenir à la Commission scolaire.

Parfaitement ignorant, bien intentionné et discipliné ; d'ailleurs plein d'ardeur : le succès ne devait pas se faire attendre. Messieurs Mondoux et Lanthier, à qui

je conserve un reconnaissant souvenir, furent les arti-
sans de ce succès officiel éclatant ; le seul de son espèce
que j'ai eu dans toute ma carrière d'enseignement.

Sur la foi des rapports réglementaires de mes deux
bienveillants principaux, je suis, à mon insu encore
une fois, bombardé dès 1928 – après neuf mois d'expérience – professeur à l'École du Plateau ! Je remplace
monsieur Jean-Baptiste Lagacé promu au rang d'inspecteur du dessin.

C'est le plus haut poste de professeur que la Commission puisse m'offrir. J'ai vingt-deux ans. Un tel
départ promettait une carrière enviable. Je frémis en
pensant ce qui serait advenu si, une semaine plus tard,
je n'eus pas trouvé le courage de donner ma démission :
ou, si vous aimez mieux, j'eus le courage d'affronter
victorieusement un impératif catégorique.

Nous sommes en octobre 1928. Une loi spéciale
vient d'être votée. Elle transforme, de fond en comble,
l'administration de nos écoles en la centralisant. Monsieur Victor Doré devient de par la loi « la cheville
ouvrière » de la Commission. L'expression eut un gros
succès ; elle faisait neuf, démocratique, serviable, sans
faire bouche-trou. Monsieur Manning fut nommé
directeur des études. J'ignore ce que monsieur Miller
devenait dans les nouveaux rouages. Maillard, à titre
de directeur de l'École des beaux-arts, devenait automatiquement commissaire. Monsieur Lagacé, comme
déjà dit, se voyait attribuer le poste d'inspecteur du
dessin, depuis de nombreuses années vacant ; et j'avais
l'honneur de le remplacer au Plateau.

Le présent était rose : mon salaire augmenté, mes
heures de cours doublées ; car je gardais les deux écoles de l'année dernière. J'étais au faîte de la satisfaction

tout juste tempérée par la crainte d'être inférieur à la fortune !

Je prends charge de mes nouvelles classes ; ça marche à merveille environ une semaine. Et là coup de théâtre ! J'entre dans une classe du Plateau pour y donner mon deuxième cours. Le titulaire m'avertit que le professeur de dessin vient justement d'en sortir et il me demande, à moi, ce que ça veut dire. Je lui demande à mon tour s'il n'a pas la berlue. Devant son assurance je capitule. Désemparé, n'y comprenant rien, je vais frapper à la porte de monsieur Manning qui me reçoit en me disant : « Justement je voulais vous voir. Je suis navré mais vous devrez retourner aux conditions de l'année dernière : demi-temps, écoles Montcalm et Champlain. » – « Je ne fais plus l'affaire au Plateau » lui demandé-je. – « Mais non, bien au contraire ! » m'assure-t-il, et il m'explique que, sous la pression exercée par Maillard sur ses nouveaux collègues les commissaires, il a dû, lui, après coup, engager à ma place mon ami Léopold. Je lui exprime l'opinion que c'était une mauvaise raison ; cependant j'eusse été incapable de lui expliquer pourquoi... Il me répond : « Je regrette » ; et moi : – « Je verrai. » Mais c'était tout vu. Il m'était peut-être encore plus impossible à cet âge qu'aujourd'hui d'accepter un tel comportement. Sans demander conseil à qui que ce soit, je reviens chez mon père, monte à ma chambre et d'une traite écris une lettre de démission à la Commission des écoles catholiques de Montréal.

Ainsi se termine ma première expérience avec une grande administration. Les cours, les élèves, furent peu importants dans cette aventure. J'acquis par la suite la conviction qu'ils étaient tout juste bons à servir de prétextes à un avancement social du professeur désireux de réussir dans la vie. (Je connus de ces écoles PRÉTEXTES : où parents et programme ne sont considérés que sous l'angle égoïste du professeur, du directeur.) Dieu soit loué, un orgueil insensé m'obligea d'en sortir : pour quelque temps !

La voie vers les honneurs académiques m'était, de par ma nature, impossible. Sur cette route fleurie pour aller et loin et longtemps il faut savoir composer. Un autre chemin s'ouvrait où l'intégrité mènerait, non plus aux dehors brillants des choses, mais à l'objet même. Dès l'instant de cette démission toute carrière officielle devenait interdite. Jamais je n'en ai été aussi convaincu que ce soir.

La lettre écrite, j'allai retrouver mon cher monsieur Leduc. Sa haute intelligence, son entière approbation du geste irrémédiablement téméraire, fut plus précieuse que tout ce que je venais de perdre volontairement.

Quelque temps après, je partis pour Paris. En janvier 1929, j'appris que la Commission avait mis mon ami à la porte. Il avait enseigné d'octobre à décembre. Cher lui, n'importe qui aurait pu lui prédire cette fin. Aucun génie n'aurait résisté à de semblables conditions d'admission forcée dans un corps administratif aussi énergiquement unifié et qui en plus exigeait des qualités autres que les siennes. L'odieuse incompréhension de Maillard fut la cause du mal qu'il en éprouva.

À la suite de cette triste nouvelle, je songeai cinq minutes que, si je n'eus pas donné ma démission, j'aurais repris une seconde fois la place vacante et que l'avenir eût été assuré au lieu d'être étudiant à Paris… et je n'y pensai plus.

* *
*

De 1928 à 1932, je découvre Boston, New York, Paris, l'Alsace, la Lorraine, la Bretagne ; Renoir, quelle merveille et quelle leçon ! Pascin.

Lentement je remonte vers les premières certitudes de mon enfance, sans savoir où je vais.

Je découvre les plaisirs d'amour : Lulu et cie ; saint Jean de la Croix, autre merveille.

En contrepoids, de 1930 à 1932, tentative sociale infructueuse. Mes activités secondaires, dirigées depuis plusieurs années dans le but lucratif d'embellir nos églises, se butèrent à une fin de non-recevoir violente de la part du clergé et des architectes. Je leur rends grâce ! Sans cet échec, il est probable que l'état actuel de la société ne se serait pas montré dans sa nudité. Cet espoir me masquait aussi mes seules possibilités.

Dans un grand dénuement, sans amis pour suivre ma pensée et parler des formes d'art que j'aime, cherchant les raisons de l'impossible adaptation aux cadres de la société, les découvertes se poursuivent : le fauvisme, le cubisme, le surréalisme.

Les dessins d'enfants (mes élèves de l'externat classique, collège André-Grasset, et de la Commission scolaire, où je suis retourné au bas de l'échelle, cette fois, sans succès officiel, en lutte contre les méthodes en cours) sont les seules confirmations que la route poursuivie mènera un jour à la victoire : fut-elle cent ans après ma mort.

Tout le reste se présente comme des chimères, des illusions, de fols espoirs irréalisables.

Le travail à l'atelier est éreintant. Sur dix ans d'un labeur acharné, dix toiles à peine méritent grâce. Je les reconnais comme des accidents heureux impossibles à répéter. Les tableaux sur lesquels ma volonté s'acharne le plus à vouloir diriger sont ceux qui deviennent les plus lointains, les plus froids, les plus intolérables. J'achète le décapant à la pinte. Cependant une assurance quasi irraisonnable me soutient qu'un jour le travail sera plus transparent, moins pénible.

Les enfants que je ne quitte plus de vue m'ouvrent toute large la porte du surréalisme, de l'écriture automatique. La plus parfaite condition de l'acte de peindre m'était enfin dévoilée. J'avais fait l'accord avec mon premier sentiment de l'art que j'exprimais alors à peu près comme ceci : « L'art source intarissable qui coule sans entrave de l'homme. » La confusion de cette définition d'enfant que je rappelle quand même pour son opposition à toute idée d'entrave associée au travail créateur, exprime sentimentalement le besoin d'une extériorisation abondante. Dans le noble espoir de faire de moi comme de tout autre un esclave, avec la permission de ma confiance, on avait sabordé ça. Après un long naufrage, ce besoin primordial remontait à la surface. Mon comportement en fut modifié : il permit un nouveau contact plein de foi en la société d'hommes et de femmes à demi libérés. Société dont je n'avais même pas soupçonné l'existence à Montréal.

Un amour irrésistible m'entraîne au mariage, à la paternité. Des amis se présentent venus du fond de mon rêve : Maurice Gagnon, le père Carmel Brouillard, John Lyman et autres.

Je sors lentement de l'isolement. Je respire plus à l'aise malgré quarante heures de cours et un travail à l'atelier plein de difficultés encore et de défaites.

Voici à peu près où j'en étais quand, par l'influence du père Brouillard et le bon vouloir de Jean Bruchési, j'entrai à l'École du meuble en 1937.

* *
*

J'entrai à l'École du meuble grâce à mes amitiés nouvelles mais aussi à la faveur d'un malentendu. Monsieur Jean-Marie Gauvreau, le directeur, était en lutte avec Maillard depuis assez longtemps ; exactement depuis le jour où Maillard le qualifia d'incompétent devant le ministre David. C'était évidemment peu aimable même pour un « Ancien d'Europe », et une grosse pierre dans le champ des honneurs attachés aux responsabilités administratives que Gauvreau désirait pourchasser. Une lutte serrée s'ensuivit. Je suppose que Gauvreau désirait d'abord se prouver l'erreur de Maillard ; et ensuite, j'en suis certain, prendre sa place si possible, n'est-ce pas, monsieur Félix ? Enfin poursuivre l'enseignement tel quel de cette fameuse École des beaux-arts. Enseignement que Gauvreau trouvait excellent.

Pour ma part, j'avais déjà rompu avec ces espoirs-là ! mais d'autres espoirs imprévisiblement s'étaient offerts, incompatibles avec l'activité académique. Mes amis et moi nous entreprenions la lutte contre elle, non plus pour des raisons personnelles, mais pour la défense de nos ardentes certitudes vitales. Nous étions en lutte contre Maillard parce que sans sa perte, il était impossible de voir évoluer l'enseignement qu'il dirigeait. (Enseignement d'ailleurs en harmonie avec l'esprit utilitaire encore vigoureux dans notre chère société montréalaise, sauf que les formes en étaient plus anciennes.)

Lorsque Gauvreau me fit venir à l'École du meuble, sur la suggestion du ministère, pour remplacer monsieur Jean-Paul Lemieux nommé aux Beaux-Arts de Québec à un poste dont il avait été question pour moi, nous nous crûmes d'accord à cause de notre lutte commune. C'était une erreur qui mit du temps à apparaître précise.

* *
*

Vis-à-vis des élèves mes rapports se simplifiaient.

Je ne provoque plus ces oppositions systématiques connues jadis à l'externat, par ignorance, par incertitude, et par complexe d'infériorité. (Ces grands garçons, de versification en montant, me faisaient peur. Je les savais plus instruits que moi et j'ignorais tout des comportements d'un groupe. Ce furent de longues années d'entraînement au courage moral. Je me rappelle que l'idée d'avoir à ouvrir une certaine porte de classe suffisait à me couvrir de sueurs. J'ignore comment on résiste à ces apprentissages.) Aujourd'hui les relations avec mes élèves sont simples. Je ne froisse plus leur sentiment de liberté, ayant reconquis la mienne.

À l'externat, dès la première année d'enseignement, j'utilisai la méthode de Quénioux qu'Ozias Leduc me fit connaître. Cette méthode donna immédiatement des résultats remarquables; particulièrement dans les classes inférieures, favorisés qu'ils étaient par la jeunesse des élèves et leur inexpérience.

À l'École du meuble, le départ résolu vers les solutions énergiques démarre lentement; les élèves ne sont plus aussi jeunes, ils ont déjà la fausse assurance de connaissances académiques plus étendues ; l'habitude du courant pernicieux est mieux établie.

Ensemble, sans heurt, à la façon qu'un grain d'herbe pousse dans un sol avare et froid, nous cherchions la voie de l'expression objective, vivante. Un jour, après plus d'une année d'un travail ingrat, au cours de documentation je crois, un beau dessin est apparu ! L'élève Touchette en était l'auteur. Ce dessin exemplaire fut commenté, exposé. Il déclencha la révolution tant attendue. À partir de ce moment de telles œuvres ne manquèrent plus à l'école ; elles devinrent de plus en plus nombreuses.

Souvent j'ai pensé à cette première équipe que je soignais de toute mon attention ; comme je la savais fragile ! Si fragile devant la difficulté de gagner son pain qu'aucun de ceux-là ne put développer, au-dehors de l'école, cette plante précieuse qu'ils savaient pourtant posséder. Elle leur servit tout au plus à voir d'un œil moins sec les merveilles de l'univers.

D'année en année le milieu scolaire devenait plus chaud, plus fort. J'entrevoyais le moment où les qualités rares résisteraient à la transplantation.

À l'École de la liberté les tempéraments s'affirment : du nerveux au flegmatique, de l'inquiet, de l'ardent, de la tête un peu folle au raisonneur sûr de lui-même, peu sensible aux mystères, craignant comme la peste les moindres aventures spirituelles. Touchette, Hébert, Cyr, Desjardins, Archambault, Vinet, Maisonneuve, Racine, Deschambault, tous des premières heures, qu'êtes-vous devenus ? Quelques-uns sont professeurs, d'autres directeurs d'écoles, mais ceux que je n'ai jamais revus !

C'est à ce stade premier que des développements extérieurs vinrent accélérer la poussée. Monsieur Maurice

Gagnon, nommé en même temps que moi à l'École du meuble, avait déjà commencé l'activité littéraire qu'il poursuivra un certain temps ; on en parlait. Le directeur, encore incapable d'orienter l'école dans une doctrine particulière, ne cherchant alors que ce qui frapperait l'attention du public, lui offrit une série de conférences. Elles attirèrent une foule élégante.

Je dois rendre le mérite à monsieur Gagnon que, si ses cours étaient entachés d'idéalisme sentimental, il était non moins vrai que pour la première fois à Montréal, un cours d'histoire de l'art devenait autre chose qu'une ennuyeuse énumération se terminant à la Renaissance. L'on ne vidait peut-être pas toujours les leçons particulières propres à tout chef-d'œuvre ; mais au moins le choix des œuvres avait de l'unité et l'entière sympathie communicative du professeur. Jamais un cours n'a été une corvée pour monsieur Gagnon, ni pour ses élèves. Peut-on en dire autant de plusieurs professeurs ? Je ne le crois pas.

Un fait saillant se produisit à la même époque : la création de la Société d'art contemporain « C.A.S. », suscitée par la complexe générosité de Lyman. (Activité faite d'élans généreux suivis de la crainte que les victoires remportées ne le conduisent trop loin !) Dès le premier soir de l'organisation de cette société, j'entrevis qu'elle serait peut-être le support social dont avaient un si pressant besoin mes chers élèves de l'École du meuble. L'avenir me prouva combien j'avais eu raison de croire en elle. Cette société ne nous déçut qu'à la veille du *Refus global* qui la trouva sans force suffisante.

Nous sommes dans de fiévreuses conditions sociales : la guerre vient d'être déchaînée, les défaites se multiplient. Des hommes oublient leurs tracas individuels pour s'inquiéter du sort commun. Une foule d'Européens sont immobilisés en Amérique, d'autres fuient devant l'occupation, devant les persécutions. Montréal voit son importance grandir. La « C.A.S. » recrute nos amateurs d'art à l'esprit tant soit peu ouvert. Les expositions s'organisent, Gagnon se dévoue corps et âme. Parizeau Marcel, non encore nommé, dont j'ai fait la connaissance à mon arrivée à l'École du meuble, fait le pont entre le monde des artistes et le monde-tout-court. Henri Girard envoie des flèches empoisonnées, du *Canada* à Maillard. Un public attentif nous soutient : la distance entre lui et nous est d'ailleurs encore minime.

Le père Couturier est l'un des nombreux immobilisés français à New York, il est invité à donner quelques leçons d'art religieux aux anciens des Beaux-Arts. Nous avions fait de la fresque ensemble, avec Pierre Dubois, à Chaillon (France) : je vais lui rendre visite, à son arrivée, au couvent des Dominicains. Il est mis au courant de la galère où il s'est embarqué : il me croit à peine. Je lutte contre l'influence de Gilson, de madame Thibaudeau, qui le pistonnent aux Beaux-Arts, chez l'architecte Cormier, etc., je n'en mène pas large. Dans ces hautes sphères bourgeoises notre action est encore ou inconnue ou jugée insignifiante. Le père accepte cependant l'invitation de venir visiter l'École du meuble ; la rivalité Maillard-Gauvreau permet de lui proposer un cours ! Plus tard, je lui présente Lyman, des soirées s'organisent, ses amis se multiplient, son besoin d'action trouve de quoi se satisfaire. Mais ce n'est qu'après son fiasco aux Beaux-Arts que le père Couturier acceptera la proposition du cours chez nous. L'occasion d'une revanche lui est offerte ; il obtient

cette fois un si éclatant succès que les yeux de Gauvreau s'ouvrent enfin sur l'abîme où nous semblons
l'entraîner. Gauvreau le désavoue publiquement à
l'ouverture de l'exposition de l'École, tenue à l'immeu-
ble non encore terminé de l'Université.

Le père infatigable organise deux expositions
sensationnelles des « Indépendants », l'une à Québec,
l'autre chez Morgan. Les exposants sont recrutés au
sein de la « C.A.S. ». Il multiplie les conférences, les
articles de revues; il publie *Art et catholicisme*. La
glace est rompue.

Maillard tente, dans un article de presse, de reven-
diquer les « Indépendants ». En réponse, il reçoit un
reniement dont il ne se relèvera pas tout à fait, et qui
contribuera largement à sa déchéance.

Malgré cet effort de Maillard, malgré le désaveu
de Gauvreau, la réaction ne vient pas encore. La vieille
clique académique qui depuis toujours fait la pluie et
le beau temps n'en revient pas de sa surprise. Elle n'est
pas prête pour la bataille.

Pierre Daniel, plus tard Robert Élie, Charles
Doyon, sont des nôtres; ils ne feront plus défaut. La
presse à leur suite emboîte le pas.

À l'École, si je dois maintenant compter avec la
réticence évidente de la direction, réticence qui aug-
mentera sans cesse, mes élèves savent par contre que
l'intérêt qui les anime n'est plus uniquement viable
entre les quatre murs de la classe mais qu'il y a de
profondes résonances à l'extérieur. Les « Sagittaires »
s'organisent (monsieur Gagnon prête alors son
concours bénévole à plusieurs expositions de la
« Dominion Gallery » et à diverses expositions de
collèges). Aux « Sagittaires », sur vingt-trois exposants,

quinze sont de mes élèves ; onze sont élèves à l'École du meuble.

Des forums ont lieu en différentes villes de la province.

Hertel, mis en quarantaine à Sudbury, me demande de recevoir ses amis. Les visites à mon atelier deviennent régulières, un groupe des Beaux-Arts s'y rallie, des étudiants d'un peu partout s'y rendent.

Ma première rupture avec le monde académique, suivie d'un isolement quasi total n'est plus qu'un souvenir. Un devoir social qui se précise chaque jour passionnément nous entraînera à la seconde prise de conscience et nouvelle rupture que sera le manifeste surrationnel.

Sur cette route difficile de la rupture encore lointaine, Pellan sera l'occasion d'une brusque division des forces – trop tôt peut-être – des éléments considérés révolutionnaires par la foule.

Alfred Pellan revient de Paris. Il a la surprise de trouver à Montréal un milieu préparé par notre déblaiement des années passées. S'il était venu en notre ville trois ans plus tôt, au lieu du triomphe qu'on lui a réservé, il aurait dû lui aussi œuvrer dans l'ombre. Son succès favorise autant notre mouvement qu'il est glorieux au nouveau venu. Nous ne pouvons cependant pas permettre que les cartes soient brouillées encore une fois.

Le travail que ce peintre nous apporte de Paris est vigoureusement parfumé du lieu propice entre tous où il a pris forme. C'est en somme un fruit parisien qui vient à nous. Que l'on comprenne bien qu'il est loin de mon désir d'en diminuer l'éclat, en voulant insinuer qu'il aurait suffi à l'un quelconque de nos peintres de vivre quinze

PROJECTIONS LIBÉRANTES

ans à Paris pour nous le cueillir! D'autres y sont demeu-
rés aussi longtemps et sont revenus les mains vides...

Il ne fallait pas non plus perdre la tête! La peinture
de Pellan ne pouvait devenir un exemple fixe à imiter.
C'était un élément sain à assimiler; comme lui-même
aurait dû assimiler les meilleurs éléments de la peinture
montréalaise au milieu de laquelle il choisissait de
vivre. Il désirait une zone d'influence étendue; c'était
juste et nous n'avions aucune objection à cela. Il fallait
aussi s'entendre sur l'essentiel; là, fut l'obstacle capital.

Déjà, pour quelques-uns d'entre nous, il était
inconcevable d'entrevoir le travail de création, sans la
constante découverte. Tout retour en arrière nous était
interdit de même que toute fixation.

Pellan rejetait en bloc le surréalisme; pour nous il
avait été la grande découverte. Pellan ne croyait qu'au
cubisme qui déjà était, et un peu grâce à lui pour nous,
sans mystère.

Violemment les jeunes en prennent parti. Dans la
violence des moins jeunes sont décapités qui désirent
concilier l'inconciliable.

MAINTENIR GÉNÉREUSEMENT l'ACCENT sur la
PASSION DYNAMIQUE ou

MAINTENIR SYSTÉMATIQUEMENT l'ACCENT sur la
RAISON STATIQUE.

PERMETTRE aux EXPRESSIONS PLASTIQUES IMPRÉ-
VISIBLES de NAÎTRE ou

MAINTENIR une CERTAINE EXPRESSION PLASTI-
QUE DÉFINIE.

ACQUÉRIR PASSIONNÉMENT de NOUVELLES CER-
TITUDES en ENCOURANT tous les RISQUES ou

CONSERVER à tout PRIX les CERTITUDES d'un
PASSÉ RÉCENT et GLORIEUX.

En somme la GAUCHE et la DROITE du mouvement contemporain – que le public confondait en un seul mouvement – se séparaient.

La gauche prenant conscience, la droite adopte une attitude défensive à notre endroit : les positions sont plus nettes. La réaction a eu le temps de revenir de sa surprise ; la lutte s'engage à fond, sans rémission. La lutte tutélaire passionnée, aussi nécessaire à la vie de l'intelligence qu'elle peut l'être pour la vie des corps, est enfin engagée à Montréal. Souhaitons qu'elle ne cesse plus jamais.

* *
*

C'est à ce stade de développement (1943 à 1948) que l'expérience de l'École du meuble prend son entière signification.

Les élèves de première année de la section « d'artisanat » (les seuls que je voyais) ne sont plus des enfants ; leurs études secondaires doivent être terminées : baccalauréat de rhétorique ou certificats de nos écoles primaires supérieures. Ils entrent à l'École du meuble à peu près au stade où ils entreraient à l'université. C'est d'ailleurs le rêve, depuis longtemps choyé, du directeur d'accorder un jour des licences et des doctorats en siège ! Il y travaille en cachette. Les autorités de l'université sont déjà consentantes. Monseigneur Maurault n'a pas craint d'exprimer publiquement, à la presse, le plaisir qu'il éprouverait à ouvrir les portes de l'université à l'École du meuble. Gauvreau plus rusé nie qu'il en soit question ; le jour où il aura gagné son point au ministère (qui voit en ce moment d'un mauvais œil un si grand succès), il aura l'air de s'être fait tirer l'oreille pour accepter de devenir doyen ! Quel chameau que Gauvreau !

Je les revois, ces grands garçons de première, inquiets du nouveau milieu où ils se trouvent, prudents, effacés, impersonnels à l'extrême ; abordant l'étude du dessin avec leurs préjugés bien enracinés, leurs déjà vieilles habitudes passives imposées de force au cours de douze ou quinze années d'études : RANGÉS, SILENCIEUX, INHUMAINS. Ils attendent des directives précises, indiscutables, infaillibles. Ils sont disposés au plus complet reniement d'eux-mêmes pour acquérir un brin d'habileté, quelques recettes nouvelles à ajouter à un faux bagage pourtant lourd à porter.

Ces premiers cours étaient émouvants. Je me taisais... C'est lentement que la glace se brisait ; la débâcle n'avait lieu qu'à la suite des longs et beaux jours chauds et sans vent, lorsqu'elle était assez molle pour ne rien déraciner de précieux.

Je me taisais dans l'attente d'un geste expressif. La déroute occasionnée par le silence, par le manque de directive, hâtait ce geste. Les maladroits que j'ai toujours aimés étaient involontairement l'occasion des premiers scandales. Des beaux dessins naissent dans une ignorance mystérieuse : il fallait alors en prendre conscience, en dégager les leçons.

La différence entre ce qu'ils attendaient du dessin et ce que cette étude pouvait leur donner de meilleur les frappait d'un trouble profond.

Passionnément les discussions entre eux, hors les cours, commençaient. Ils refaisaient, sans le savoir, le procès de l'art en croyant faire celui de l'art « moderne ».

Nous nous attachions à réaliser l'unité du présent et du passé à l'aide des reproductions de la bibliothèque.

Ce n'était donc pas les différences que nous étudiions, d'une école à l'autre, mais les constances. Quelles étaient les qualités propres aux dessins des cavernes et à ceux de Léonard ou de Rembrandt, de Picasso ou de Matisse ? Nous recherchions une qualité plastique constante ! Nous ne trouvions qu'une qualité morale, toujours la même au cours des siècles, mise en évidence par une infinie variété de qualités plastiques. Cette qualité morale semblait être une puissance affective créant un état passionnel suffisant à l'expression involontaire et intégrale de la personnalité de l'artiste.

C'était une grande découverte ! Il ne s'agissait donc plus, pour devenir un créateur, d'acquérir au moyen d'exercices ingrats des qualités mécaniques étrangères ; de piocher et gommer en vain et sottement. Si nous désirions que nos œuvres aient un jour cette involontaire et divine qualité expressive, marque indiscutable d'un être fort et ardent, il fallait à tout prix abandonner ce fol espoir de s'enfouir sous l'amas des débris impersonnels et accepter de résoudre immédiatement ou jamais ses propres problèmes de figuration, d'expression.

La route de l'expérimentation individuelle était ouverte. L'élève n'apparaissait plus comme un sac à tout mettre ; mais comme un individu à un moment précis de son développement.

Il n'était plus une machine à reproduire, au service d'un maître quelconque, mais un homme intelligent cherchant les réponses à ses problèmes d'expression.

Il ne s'agissait donc plus de donner à l'élève le moindre, le plus étant exigé. Il ne s'agissait plus de lui apprendre en particulier tel ou tel truc de métier, lui permettant un jour de singer ceci ou cela, celui-ci ou celui-là ; mais il s'agissait de lui permettre l'accès à l'expression intégrale. Quitte, pour l'élève moins doué, à n'utiliser qu'une partie du pouvoir mis entre ses mains.

Il ne s'agissait donc plus de faire dessiner l'élève dans le but de satisfaire telle ou telle clientèle idéale qui d'ailleurs n'a jamais existé que dans la caboche des professeurs incapables de tout travail d'art, mais de permettre à l'élève de se reconnaître dans ses œuvres et par cet accord permettre à d'autres hommes de reconnaître en ces œuvres des aspirations profondes encore insoupçonnées. En d'autres termes : permettre au dessinateur de créer son propre style qui créera forcément sa propre clientèle. Que l'on me nomme un seul artiste, un seul décorateur digne de ce nom qui ait acquis la gloire autrement !

Pour favoriser le mieux, le pire devait être possible – l'un ne se comprend pas sans l'autre – NOUS QUITTIONS LA COMMUNE MESURE.

Quels étaient les objets à saisir, quels étaient les buts, les étapes de cette passion reconnue ? Il était clair, même à la lumière voilée de nos pauvres reproductions, que les objets à saisir se présentaient dans la perspective d'une connaissance toujours plus complète, plus reculée des possibilités de l'homme.

Autant que la bibliothèque le permettait, nous étudiions alors l'évolution d'un artiste en particulier : Renoir par exemple.

Il suffisait d'une quinzaine de reproductions prises au hasard, par tranches égales, au cours de sa longue carrière, pour identifier sans l'ombre d'un doute quelques-unes des exigences de son désir jamais comblé.

Ses premières peintures dénotent un goût peu particularisé : proportions, compositions, sont à peu près celles de tous les peintres de son temps, celles aimées d'un public de choix. Son ambition lui commande des régates! Plus tard, trois ou quatre personnages dans un parc, dans une loge, suffiront comme prétexte à sa joie de peindre; pour se contenter à la fin d'un bouquet, d'un torse de femme s'alourdissant d'année en année. J'imagine volontiers que, si Renoir eût vécu cent ans et plus, ses dernières toiles eussent été peintes d'un seul pétale de rose fait d'une infinie variété de tons, d'un clitoris remplissant le tableau d'une multitude de petites touches de chair rose et bleue.

Nous suivions avec amour la transformation continuelle d'un détail, une main, par exemple, des premiers aux derniers tableaux. Les doigts bien délimités du début et délicats, doigts de femme élégante, ayant chacun un rappel immédiat à la connaissance que l'artiste possède de son modèle, vont lentement vers une autre connaissance: d'un ordre plastique celle-là. Les doigts s'unifient jusqu'à devenir inséparables les uns des autres. Le dessin s'étale, se multiplie, pénètre profondément la matière colorée; le traitement s'assouplit, l'émoi d'une présence réelle est évident. Le rappel au modèle n'est plus qu'une double communion d'une même et seule réalité transfigurée. Les doigts se soudent à la main, qui elle-même devient un volume spontanément ordonné dans l'ensemble, dont le poids lumineux ne réfère plus qu'à la certitude émotive de l'artiste. Certitude faite de l'accord de toutes les puissances de connaître dans un élan joyeux vers la possession de l'univers.

Joie cérébrale de faire craquer la toile sous le poids de l'objet peint, joie charnelle, visuelle, de plus en plus précise; un seul et même désir: posséder l'impossédé, réaliser la plénitude émotive du présent sans cesse plus exigeante.

Il y a trop d'absences en ce moment pour être tout à fait à l'aise en parlant de ces choses qui demandent la présence des tableaux, des personnes auxquelles on en parle. Contacts immédiats permettant une entente persistante.

En commençant ce travail j'aurais voulu répéter textuellement les cours de l'École du meuble. J'en vois l'impossibilité ; seul un grand mouvement se reproduisait dans les formes imprévues de la conversation. Conversations qui n'ont jamais été notées. Je ne m'en tiendrai qu'à ces grandes lignes.

Ce travail, que j'aurais donc voulu strictement imitatif, sera peut-être davantage objectif que mon désir originel, en étant le cours que je donne à des élèves absents – le seul que je puisse donner !

Je déteste et envie à la fois le professeur à la faculté inhumaine d'être exactement au même point aujourd'hui qu'il était hier ; qui une fois pour toutes SAIT et n'a plus pour le reste de ses jours qu'à répéter la VÉRITÉ. Sans arme que j'ai toujours été contre la perpétuelle modification apportée par l'expérience. Souvent j'ai tenté la rédaction d'un programme de mes cours : dès le lendemain il se montrait inutilisable, les conditions étant changées.

J'ai aussi en aversion les professeurs qui prennent avantage de leur âge, de leurs connaissances, pour imposer d'autorité, sans tenir compte des réalités individuelles de leurs élèves, des formules que ces élèves ne peuvent vivre, ne peuvent assimiler intégralement. Dans le marasme où nous sommes ce n'est pas d'orgueil que nous manquons... Aux plus forts, aux mieux préparés à aimer davantage dans l'humilité d'une communion profonde et dynamique.

Celui qui ne retire de son travail que le bénéfice de son salaire est nul. De ça il y a des décades que les preuves s'accumulent par centaines de mille, et l'on persiste à ne pas voir, à ne pas entendre.

Tôt l'accord se faisait avec les élèves, contre les préjugés, contre l'ignorance, contre l'inconnu. Ils m'aidaient autant que je pouvais les aider moi-même et ils le savaient. C'était un marché tacitement conclu et magnifiquement tenu. Il est probable que cet accord justifiait à lui seul leurs préférences. Elles risquaient à tout moment de désorganiser l'école. Leur ardeur à l'étude du dessin leur faisait trouver ennuyeuses et stériles les autres matières au programme ; malgré l'ingéniosité de la direction à minimiser le travail fait en classe, malgré l'opposition systématique des professeurs d'ateliers et de toute la section d'apprentissage dont les élèves ne suivaient pas mes cours, malgré le soin que je mettais moi-même à faire comprendre l'utilité de ces matières. Il était d'ailleurs évident que leurs répugnances ne s'appliquaient qu'à la façon d'enseigner, non aux matières elles-mêmes ; et cela, parce que les élèves pouvaient maintenant comparer deux états : le PASSIF et l'ACTIF, sinon les juger clairement.

Il n'était pas nécessaire qu'il y eût la grève des finissants pour savoir où allaient leurs préférences ! Mais, lors de cette grève, elles devinrent évidentes à tous. L'on me soupçonnait d'être l'instigateur de ces troubles. Je n'étais que le témoin attentif de ces troubles ; et je crois, le plus compréhensif des élèves. Malheureusement, je ne pouvais rien pour eux, mon autorité étant déjà nulle auprès de Gauvreau qui ne voulait rien savoir! sentant très bien qu'il aurait un jour l'occasion de refaire l'unité compromise.

Dorénavant vous pourrez être tranquilles, MM. de l'École du meuble, le directeur a su retrouver l'uniformité suffisante pour interdire aux élèves les possibilités désastreuses des comparaisons : ou, si vous avez encore quelques ennuis, ils viendront de confrontations extérieures cette fois.

*   *
*

Nous passions à un autre artiste ; retardons cependant cet instant pour dissiper un malentendu qui pourrait naître de ma façon de raconter! Non, les cours n'avaient pas lieu à la bibliothèque (sauf pour la documentation) mais dans la salle de dessin à vue. Un modèle ou un thème sollicitait l'élève à résoudre les problèmes englobants de la figuration. (Ces contacts avec les maîtres du dessin étaient des regards presque indiscrets pardessus les limites du cours.) Le modèle proposé était indifféremment en relief ou non : sculpture sur bois, vieille relique détachée d'une église ancienne décorée par l'un de nos robustes sculpteurs d'autrefois ; un plâtre quelconque, moins volontiers ; une nature morte, fruits, légumes, objets divers, ou une reproduction. Une reproduction : ce qui était considéré comme une bassesse quand j'étudiais aux Beaux-Arts. Faire des copies! Ça sentait l'atelier féminin à longues robes noires. C'était une ignominie! Sans nous rendre compte les pauvres – élèves et professeurs – que nous copiions le modèle proposé aussi bêtement que qui que ce soit.

Une fois acceptée la route de l'expérimentation personnelle, une fois abandonnés les exercices mécaniques, les imitations, les singeries : les problèmes de figuration, d'expression, ne se comparent plus aux modèles proposés mais à l'authenticité même de l'expression, aux réalités propres, harmoniques, objectives du dessin, si peu évolué, si peu adroit soit-il.

Un autre peintre, que nous étudiions donc comme ça, par-dessus la clôture du jardin, était Matisse riche d'enseignements divers et d'une mise en garde très grave.

Ses premières œuvres généreuses, débordantes de curiosité, d'ardeur, de foi. Ses piqués en sens inverse dans l'abondance des demi-teintes au strict minimum des traits fins. Pour nous montrer ensuite un Matisse soucieux des réussites de son talent, désireux de les ordonner rationnellement. (Un peintre gêné par la crainte de décevoir des admirateurs est un peintre qui organisera le pillage de ses dons.)

Un jour nous feuilletions un album des dessins du maître, passant au hasard de la mise en page, d'un fusain écrasé à un autre dessin sans demi-teinte au trait de plume. Les élèves à l'accoutumée des cours expriment librement impressions et jugements ; j'assiste attentif, corrigeant au besoin un terme, relevant une contradiction. L'un d'eux réputé dessinateur de talent avant son entrée à l'école – il a une formation académique à laquelle il tient, elle lui coûte de nombreuses heures d'un travail fastidieux et lui a valu d'agréables plaisirs de vanité – ne trouve aucun des dessins que nous regardions entièrement satisfaisant. Il en rejette quelques-uns sans pardon : ce sont les dessins aux traits épurés sans modelé. J'interroge, tentant de lui permettre de découvrir les raisons du rejet. Il exprime alors qu'il ne sait pas, que c'est pas beau, que tous sont incomplets et que ceux-là sont plats sans relief! et souligne d'un geste son jugement. Ensemble nous étudions minutieusement l'un de ceux-là trait par trait en notant les imperceptibles modifications d'épaisseur, d'intensité, en remarquant l'ordre impeccable de leurs relations dans l'espace. Alors tout à coup il dit: « C'est formidable, M. Borduas, c'est la première fois que le volume de ces dessins m'apparaît! »

C'était non moins formidable pour moi. Jamais je n'avais soupçonné qu'un dessinateur expérimenté, rusé même dans la reproduction visuelle des choses, puisse regarder de tels dessins, si rigoureux, si éclatants, sans en voir le volume exprimé impeccablement mais sans les demi-teintes. Il suffisait donc pour que la perception se détraque d'une surprise visuelle, d'une rupture dans l'habitude. C'était l'explication de bien des sottises, de bien des jugements incompréhensibles entendus dans le passé. Pour bien marquer le point nous regardâmes des albums d'art chinois et japonais.

Ce même élève fut plus tard l'occasion d'une autre expérience étrange. Il ne pouvait accepter le classement des meilleurs dessins basé sur l'authenticité de l'expression plutôt que sur la somme des illusions. Toute la classe avait dessiné un personnage. Le sien est au tiers inférieur du classement malgré plus de ressemblance avec le modèle que ceux qui le précèdent. Il fallait par honnêteté justifier ce classement. Ma certitude est grande; elle n'est pas facile à communiquer. Plusieurs de la classe n'attachent d'importance qu'à la similitude extérieure; ils ignorent encore la valeur objective de la réalité évidente de chaque élément constituant un dessin; ils n'ont foi, malgré la révélation Matisse, qu'au dessin en dégradé photographique.

Je cherche à haute voix, par une étude détaillée du dessin en question, les raisons précises de ma conviction, soulignant au passage les déficiences d'expression : flou, mollesse, indécision, manque de caractère, etc. ; il faut déjà une certaine culture pour être sensible à de telles raisons, elles ne le touchent pas ou peu, elles sont en dehors du litige. Subitement, sans lien apparent avec l'analyse que je poursuis, je découvre que par un jeu de demi-teintes renversées l'abdomen de son bonhomme exprime une concavité au lieu et place d'une convexité ! En toute autre occasion j'aurais passé outre à cette constatation insignifiante en soi. Elle était capitale pour lui.

Cette expérience me prouva encore une fois que, lorsque l'ambition du dessinateur est au plus bas : désir d'écrire strictement les impressions visuelles reçues du modèle, l'intelligence (qui m'apparaît de plus en plus comme essentiellement ordonnatrice) ne joue plus que le rôle insignifiant de contrôler en les comparant deux similitudes immédiates : l'une venant de l'objet à dessiner, l'autre du dessin en cours, pour tendre à la fin à n'avoir qu'une seule et même impression ; elle est alors invitée à confondre deux réalités distinctes : le dessin d'une part, l'objet à dessiner d'autre part. Dans ces limites qui lui sont insuffisantes, l'intelligence se trouve sujette aux illusions les plus fausses, les moins justifiables.

Illusions qui m'apparaissent comme les exécrables caricatures de la transfiguration.

Toute la première année se passait ainsi à la découverte d'un monde insoupçonné.

Les merveilles se multipliaient dans leur ardeur craintive.

Les caractéristiques psychologiques de la deuxième année sont différentes. La rupture des vacances jouait un rôle important dans ces changements, en incitant l'élève à juger trop tôt de connaissances à peine entrevues. Les élèves avaient l'impression de revenir en pays connu. Les cours, le professeur, ne sont plus sujets d'inquiétudes. Ils savent à quoi s'en tenir. Ils croient même avoir découvert un système de classement. « Plus nos dessins sont mauvais, me disent-ils, meilleurs vous les classez ! »

Dans cette fausse assurance, avec le désir de faire la preuve du système et d'en tirer avantage, les mauvais dessins se multiplient.

En classant les dessins sur les qualités expressives (l'authenticité de l'expression est la qualité la mieux cachée qui soit à son auteur), à la longue il était apparu à l'élève que, moins il réussissait à atteindre les buts de ses désirs, et plus la note accordée était haute. Ce qui était juste. Mais la véritable signification de ce jugement échappait encore à son intelligence, à savoir que : la conséquence est plus importante que le but. La conséquence étant la qualité morale imprimée à l'acte ; le but, l'espoir de la possession entrevue par l'acte. (Qu'importe le degré d'évolution du présent ? Nous ne saurions en être entièrement responsable. Seul le comportement individuel, qualité d'être, compte. Un comportement sain projette l'individu en avant vers des biens de plus en plus près des mystères de tout objet : réalités de moins en moins apparentes. Le dynamisme justifie aussi bien les passions égoïstes que les généreuses : à la société de favoriser les généreuses.)

Les élèves avaient perdu confiance dans les buts qu'ils s'étaient assignés durant leur première année, ils perdaient donc l'ardeur: source des succès. Ils devaient faire l'expérience qu'authenticité et générosité sont synonymes, que toutes deux sont gratuites par nature, inexploitables; il fallait retrouver des désirs suffisamment émouvants pour repartir à la conquête de l'inconnu.

Nous avions cru reconnaître une valeur morale constante à l'origine de toute œuvre d'art, nous avions suivi le développement particulier de quelques grands artistes. Cette fois nous nous attachions à étudier les écoles, en comparant ce qu'elles ont de dissemblable, avec l'espoir de découvrir leurs apports au savoir. Les élèves étaient frappés, par exemple, de constater que la perspective (qu'ils étudient en vingt leçons) avait mis seize siècles à se définir; l'idée même de cette figuration savante de l'espace ne venant qu'après l'apparent épuisement des projections immédiatement liées aux expériences tactiles. Ils étaient intéressés à cette découverte des impressionnistes: la lumière objective. Ils étaient étonnés que les cubistes aient pu mettre en évidence les réalités strictement particulières au tableau, dans des harmonies parentes mais indépendantes de la vraisemblance visuelle du monde. Ils étaient affolés de constater que l'objet d'art pouvait alors exprimer dans des raccourcis vertigineux l'expérience émotive des siècles passés (Duchamp); que le tableau pouvait être le langage des plus mystérieuses analogies! (quelques surréalistes), qu'il permit à Matta d'explorer les espaces interplanétaires en créant une nouvelle échelle. Enfin, ils abordaient l'automatisme surrationnel: espoir de saisir la forme de nos désirs les plus immédiats, les plus exigeants.

En marge de ce grand mouvement nous admirions d'exceptionnels artistes tels le facteur Cheval, le douanier Rousseau. De ces hommes doués d'un pouvoir créateur reposant sur les seules qualités émotives. De ces hommes qui semblent posséder la faculté de répéter indéfiniment un même geste d'amour dans une continuelle ardeur et pureté. De ces hommes réfractaires à l'habitude, à l'émoussement, par la répétition, de la qualité convulsive. De ces hommes près de l'animalité précieuse, exemplaire : à une extrémité d'une même gamme où nous trouverions à l'autre terme Léonard et Duchamp !

J'envie de toute ma force admirative ces personnages étranges : que j'imagine doués d'une sérénité exceptionnelle. Il ferait bon déposer en leur état bienheureux nos déchirantes inquiétudes. Mais, de même qu'ils n'ont pu changer quoi que ce soit aux nécessités évolutives de l'esprit, de même nous devrons poursuivre nos tourments...

À l'École nous avions quelques-uns de ces tempéraments que rien ne distrait ; qui du commencement de leurs études à la fin poursuivaient une voie secrète sans avoir à subir les tentations négatives de la deuxième année. De ces talents qui ont besoin d'une grande sympathie, qui ne pouvaient peindre leurs « chefs-d'œuvre » qu'en classe. Il se passera des dizaines d'années avant que nos milieux citadins américains soient suffisamment humanisés pour permettre à ces fleurs simples et rares de s'épanouir.

L'étude du glissement de la pensée, d'une école à l'autre, nous amenait à comparer les qualités plastiques : volumes, lignes, mouvements, matières, etc., etc., et nous arrivions encore une fois à la conclusion que seul un surplus gratuit de justesse pouvait révéler l'exacte attitude du désir.

En première, grâce à l'état d'ignorance et de crainte des élèves, leurs dessins étaient excellents, sans qu'ils le sachent, sans qu'ils le croient. Je devais les encourager, tenter de mettre en évidence ces qualités vibrantes et je ne cachais nullement mon admiration.

En deuxième, les élèves croyaient déjà savoir et devaient supporter des critiques de plus en plus sévères, les dessins étant sauf exception de moins en moins justifiables. Les élèves étaient tentés de croire que le professeur avait changé, vieilli. C'était l'année capitale. Nous pénétrions cette fois au cœur du problème par la voie opposée, non plus par le chemin aimable des réussites involontaires mais par l'exécrable sentier de l'informe.

Le cours de décoration que les élèves abordent à cette période venait aider une fois la semaine, en fournissant l'occasion d'un travail de recherche limité, neuf, et séduisant. Ce n'était plus l'étendue, dépassant leurs facultés de conscience, du cours de dessin à vue.

Si les vacances entre la première et la deuxième année avaient faussé l'attitude des élèves, celles qui suivent au contraire leur permettront de mûrir dans la solitude, loin des critiques, des convictions assez puissantes cette fois, munis d'une expérience suffisante, pour orienter le travail d'été. C'est les mains pleines de trésors qu'ils revenaient en troisième.

* * *

Tous les ans à la Sainte-Catherine les élèves donnent une petite soirée pour amies et amis. Monsieur le directeur qui préside ces charmantes réunions en profite pour rendre quelques politesses et inviter des personnages dont les bonnes dispositions, ainsi fortifiées, pourront être utilisées un jour. Vous savez comme ça se fait quand l'on se contente de ne pas être «trois siècles en avant de son temps», que l'on a des ambitions bien précises, bien définies, immédiates ou prochaines, et que l'on bénéficie d'un certain pouvoir budgétaire!

C'était aussi l'occasion de monter une exposition des travaux de vacances. Tous prenaient ainsi connaissance des différentes recherches des élèves. Si l'authenticité est, pour un artiste, difficile à reconnaître dans ses œuvres autrement qu'indirectement, par le mécanisme des conséquences, il en est autrement pour les travaux d'autrui. Rapidement les élèves en venaient à goûter les meilleures peintures de leurs camarades.

Ces manifestations étaient de premier ordre. À l'une d'elles Mousseau exposa le fameux *Tapis de l'île de Pâques* entre autres gouaches et dessins de Barbeau, Riopelle, Phénix, et tous les copains. *L'île de Pâques* venait de faire sensation à la Art Association of Montreal, à Toronto. Les élèves étaient au courant des articles de journaux qui signalèrent ce tableau. Ce qui n'empêcha pas le directeur de présenter l'exposition, dans son discours de bienvenue, comme le résultat d'inoffensives distractions de vacances en insistant sur l'idée rassurante que les élèves savaient bien s'amuser! et ça, sans une pointe d'humour, en toute amitié feinte, en toute confiance fausse, comme s'il se fut vraiment agi de certains travaux de jardinage. La différence était si évidente entre l'insignifiance prêtée à ces tableaux et leur importance réelle qu'elle frappait les esprits les moins ouverts.

Et l'on cherchait apparemment, d'où pouvait venir le conflit d'autorité? Mon cher directeur, vous auriez pu deviner que seul votre systématique aiguillage de travers en était la cause : et voici comment. Lorsque par hasard un étranger au courant des mouvements de la pensée d'avant-garde venait à l'École (sur dix ans je me rappelle trois ou quatre visites de cette espèce), vous montiez à mon bureau et là vous faisiez sottement la roue devant ces mêmes travaux comme si vous eussiez été leur plus ardent défenseur, et cela malgré ma réprobation évidente, mon écœurement non équivoque en face d'une telle hypocrisie. Mais elle ne vous touchait guère, ma réprobation !

Certes je savais que, si notre milieu montréalais eût été plus évolué, si les gens pouvant vous être utiles d'une façon ou d'une autre eussent été informés de ces réalités neuves, eussent pu les juger, les goûter, vous auriez été, vous, constamment aux petits soins.

Comme je savais que c'était uniquement par votre manque d'imagination pour créer de toutes pièces un prétexte, pouvant vous justifier devant l'opinion publique de mon renvoi de l'école, que vous me gardiez contre votre vouloir. Sans quoi vous m'auriez exécuté dès l'exposition de la « Dominion Gallery » en 1943. Depuis vous ne cessiez, dans mon dos, de faire enquête sur enquête dans ce but. Mais je savais aussi, de prescience, que je ne quitterais l'école qu'au terme de l'expérience en marche, lorsque je serais prêt pour une expérience plus grande, sans souci du nombre de plumes qu'il en coûterait à votre panache.

* *
*

La troisième était l'année par excellence des travaux libres, des recherches individuelles en classe, à la maison. Elles se multipliaient en tous sens. C'est en troisième qu'habituellement les plus doués étaient admis à la « C.A.S. ». Ils participaient alors aux expositions de la ville.

À tous les jours de cours j'avais à juger, en particulier, des quantités de travaux, croquis, peintures, sculptures que les élèves avaient exécutés dans leur temps libre. Mon intérêt était extrême. Je les enviais, j'enviais leur simplicité, leur candeur qui leur permettait de m'apporter à pleine enveloppe des travaux exécutés la nuit, souvent contre la prudente tracasserie des parents.

Ces visites fructueuses à mon bureau étaient pour moi la grande récompense. J'accordais à mes visiteurs la même confiance que celle qu'ils pouvaient m'accorder eux-mêmes. Pas une fois en onze ans je n'ai eu à m'en repentir! Si je n'avais su depuis toujours qu'aux plus jeunes les plus vieux doivent donner le meilleur de leur intelligence, de leur cœur, quitte par la suite à rivaliser de force avec eux, ces visites me l'auraient vite appris.

En troisième, les élèves abordent les exercices particuliers de la documentation. À ces cours, comme partout ailleurs naturellement, l'expression restait libre : des analyses subtiles aux synthèses hardies. Les élèves dessinaient autant d'objets ou d'aspects différents d'un même objet qu'ils le désiraient sur la feuille, sans souci de composition. La directive générale les incitait à la recherche de l'essentiel : dessin à accent particulier, selon l'objet à dessiner, selon le dessinateur ; cet accent portait sur le volume, l'ornementation, sur la construction, sur l'harmonie colorée, sur les diverses matières, etc. Ces exercices permettaient d'approfondir la connaissance du monde de la forme, d'isoler les différentes caractéristiques d'un modèle, d'en épuiser si possible les moyens d'expression ; de prendre conscience de ces divers moyens. C'était l'occasion par excellence pour renforcer le sens critique. Cette année prenait figure de revue générale. Elle se poursuivra en quatrième.

En quatrième : année de la dispersion. L'élève entrevoit la nécessité d'avoir à subvenir à ses propres besoins d'ici quelques mois. Dans bien des cas les parents comptent sur le futur finissant pour aider à boucler un maigre budget familial. L'élève a le souci du diplôme dont il escompte des facilités à venir en récompense des sacrifices qu'ils se sont imposés, lui et les siens.

Des inquiétudes matérielles prochaines, des difficultés sentimentales plus ou moins évoluées, des problèmes scolaires immédiats : maintenant la composition du meuble exige à peu près tout son temps ; plusieurs entrevoient cette matière comme le gagne-pain, l'action principale de demain. Les élèves classent, dans une réserve à part de leur intelligence, l'art auquel ils espèrent revenir un jour. Mais à leur insu, leur comportement n'est plus le même. Dans l'ensemble ils se révèlent à l'observateur comme plus près des réalités que les jeunes du même âge ayant reçu une formation différente.

Les plus généreux prennent la décision de poursuivre dès maintenant l'activité créatrice à laquelle ils viennent de goûter. De la poursuivre en toute connaissance de cause et Dieu sait si les difficultés sont épineuses ! Ils connaissent le public qu'ils ont affronté à diverses reprises : ils savent à quoi s'en tenir.

L'un d'eux, en désaccord avec ses parents qui s'opposent systématiquement à ce qu'il soit un peintre, va jusqu'à refuser de passer les épreuves pour l'obtention du diplôme d'ébéniste (épreuves pour lesquelles il était parfaitement préparé) dans le but conscient d'éliminer une tentation future et de frustrer ses père et mère d'une arme de plus contre ses ardentes nécessités !

D'autres, non moins généreux peut-être, en tout cas de nature moins entière, ayant à subir de l'extérieur des pressions complexes, diverses, se reconnaissant des exigences matérielles précises, des devoirs sociaux différents, choisissent d'être peintres, mais pour plus tard ; quand ils auront su se créer des revenus suffisants pour se payer le luxe d'une occupation désintéressée. Comme si cette passion englobante qu'est la recherche de la vérité objective, de la beauté immédiate, pût se contenter du superflu. Chers eux ! Ils étaient pourtant bien sincères dans leur naïveté.

D'autres ne désiraient que s'illusionner ou jeter légèrement de la poudre prestigieuse sur leur entourage.

Mais il ne faudrait pas croire que la quatrième avait le monopole des grandes décisions. Des élèves les ont prises à tous les stades du cours : quelques-uns après peu de mois d'études régulières.

Un diplômé traîne sa vie bientôt misérable de bureau de dessin en bureau de placement. C'est un génie qui s'ignore. Il sera le reproche grave de ma vie de professeur : n'avoir pas su lui faire prendre conscience de son pouvoir créateur. Dans quatre ans d'attention je ne lui ai tout juste permis qu'une courte période fructueuse : les derniers mois de ses études, activité qu'il prit à la blague, qu'il jugea caricaturale, sans importance. Il fut impossible de le convaincre de faux jugement. Pourtant il obtint d'éclatants succès à la « C.A.S. », rue Sherbrooke, à Toronto, à Paris. Pour déchirer le voile qui le cache à lui-même il aurait fallu le consentement universel! Qui sait, peut-être l'approbation d'un quelconque individu vivant en dehors de notre mouvement et en qui il eût confiance. De toute façon sa jeunesse semble avoir été empoisonnée par un milieu trop étroit. Il paraît «inadaptable» – mot exécrable – à tout jamais perdu pour la société qui en aurait bien besoin. Il y a des chances que seules ses quelques aquarelles demeurent.

En septembre 1946, Gauvreau-le-directeur, Gauvreau-le-chameau de tout à l'heure, m'enlève sans une consultation du conseil pédagogique, sans même me prévenir, les cours de décoration et de documentation; seul le cours de dessin à vue résiste. Monsieur Félix, ci-devant principal acolyte de Maillard, me remplace. En fait de retour en arrière ce n'est pas raté. (J'ai mentionné le conseil pédagogique. Il y a des années qu'il n'a pas convoqué ses membres, ni monsieur Gagnon, ni moi en tout cas, j'en déduis qu'il fonctionne par la seule puissance de son président, le directeur... Légalement je fais encore partie de ce conseil n'ayant jamais été avisé de mon exclusion.)

La situation à l'École n'était pas commode, elle devient intenable. Impossibilité de protester publiquement. Personne n'aurait compris: les nouvelles conditions ayant l'air de m'avantager. Mon travail est diminué de moitié: le salaire reste le même! Vous voyez la possibilité de se plaindre d'un tel sort?

Mes espoirs de voir les jeunes dessinateurs réaliser la plénitude de leurs dons, mes espoirs sociaux supérieurs: des chimères...

Pour continuer le travail dans l'enthousiasme j'avais besoin de contacts suffisants avec les élèves, ces contacts n'étaient pas trop nombreux: on les divisait par deux en dédoublant mes cours, et une part allait à un professeur dont l'enseignement était prouvé désastreux. Un professeur dont l'enseignement subissait nos assauts depuis 1942! J'acceptai quand même le défi, peut-être, malgré tout, y aurait-il encore quelque chose à faire...

À l'extérieur de l'École s'affrontent, pour moi, deux réalités sociales distinctes.

D'un côté, les amis nombreux connus à la suite de la première rupture avec le mode académique. Des amis qui ont été nécessaires à notre évolution en donnant le support de leur confiante sympathie. Chaleur indispensable de notre activité. Mais dont les possibilités révolutionnaires sont hélas! limitées. Les marques de distance, entre eux et nous, s'additionnent. Les espoirs illimités du début s'émoussent. Quelques personnes de premier plan ont dû être abandonnées en route.

De l'autre, un groupement jeune, plein de dynamisme, de foi en l'avenir, en l'action. L'accord, le lien, s'est soudé lentement sur des valeurs essentielles, révolutionnaires; au début uniquement plastiques. La certitude de suivre la bonne direction est grande, bien assise. Certes, il y a de l'orgueil là-dedans! Bien sûr! À mes yeux il a cependant un autre prix que l'exécrable orgueil catholique, par exemple! En tout cas il repose sur des convictions dynamiques celui-là et il commande le risque. On peut aussi y découvrir de la légèreté, oui... Jamais je n'ai cru à la possibilité d'un monde idéal. Mais l'accent est à la bonne place, le mouvement résolument en avant. Il a toute mon admiration, toute mon amitié; je fonde en lui mes plus chers espoirs.

Dans une soirée mémorable ces deux réalités sociales se sont rencontrées. Claude Gauvreau jouait sa pièce BIEN-ÊTRE. De la foule de nos amis qui étaient là, cinq à peine (en dehors du groupe) sortirent intacts dans mon admiration.

J'éprouvai, en plus des sentiments propres au drame épique qui se déroulait sur la scène, l'angoisse, pour la première fois, de la rupture prochaine irrémédiable. Moins quelques doigts de la main, tous ceux qui étaient là et qui auparavant nous avaient été secourables refusaient de dépasser certaines bornes en deçà de nos possibilités présentes: c'était évident!

Si nous n'eussions été aussi sincères, si de la partie que nous jouions n'eût dépendu qu'un peu plus d'aisance, de plaisirs mondains, nous aurions fait machine arrière, cajolé, quémandé sur la pédale douce en attendant. Mais voilà, nous ne demandions rien, rien du tout que le droit primaire d'être honnêtes avec nous-mêmes et avec nos amis! Nous ne revendiquions que le droit élémentaire d'aimer dans la plus stricte sincérité; de donner la pleine mesure des talents sans freiner! en échange d'un peu de confiance, de sympathie. Si nos amis nous refusaient cette confiance, cette sympathie, il fallait rompre les liens d'amitié, ils devenaient embarrassants. La lutte ne se fait bien que contre des ennemis.

Sans intention, par les exigences d'un développement naturel, le « GROUPE », noyau d'un mouvement beaucoup plus étendu, va vers sa propre individualisation. Dès l'exposition de la rue Amherst il élimine, sans arrière-pensée, plusieurs camarades. Il prend inconsciemment son caractère d'unité et cet air inquiétant qu'il ne perdra plus, pour un certain public.

L'année suivante, à l'occasion de la manifestation de la rue Sherbrooke, il reçoit le nom d'AUTOMATISTE. Durant cette même exposition nous sommes aimablement invités quelques-uns – Fernand Leduc part pour Paris, Jean-Paul Riopelle y est rendu – à participer individuellement au premier *Cahier des arts graphiques*: collaboration qui nous valut des chicanes d'amis à l'étranger. On reprocha notre manque de discernement, notre peu de rigueur et d'exigence comme si nous eussions endossé l'entière responsabilité de tous les articles et reproductions de ce fameux « Cahier » (bien québécois, des pires bondieuseries à l'automatisme). Lorsqu'il s'est agi de la collaboration au deuxième numéro (n° 3) projeté pour 1948, une réunion d'étude s'organise avec nos amis des Arts graphiques où il est décidé de la participation de chacun de nous. L'on promet de grouper nos envois en un tout, et nous prévenons qu'aucune censure ou rejet partiel ne saurait être appliqué sans entraîner le retrait du tout.

Dans ces conditions le travail commence. Ça va bien jusqu'au moment où l'on nous prévient que le papier d'un de nos amis ne peut passer tel quel. L'auteur refuse de changer les paragraphes incriminés; nous rappelons les conditions posées. En plus on nous informe que, à cause de difficultés d'exécution, nous serons dispersés un peu partout dans la revue comme l'on répand la muscade sur un pouding!

Dans l'impossibilité de nos amis des Arts graphiques de faire mieux – ils relèvent d'autorités que nous ne voyons pas – à regret nous nous quittons.

À partir de ce moment les ruptures se précipiteront.

À la « C.A.S. » la participation des jeunes est bénévole depuis 1946, année de leur puberté. Ils obtiennent au même moment la majorité des voix actives de l'assemblée. Assemblée qui groupe divers éléments, dont les plus sains, de la peinture montréalaise. Le groupe serait heureux d'une entière collaboration. Il fut d'ailleurs le premier à bénéficier des avantages sociaux de la « C.A.S. ». Les jeunes laissent le conseil barboter deux ans dans l'espoir d'une correction à leur égard ! Pensez-vous…

À la dernière exposition tenue à la « Art Association » dans un endroit trop restreint pour une société comme la nôtre, les quelques toiles ayant un certain intérêt sont perdues ; les jeunes, en cela traités à la manière de l'année précédente, sont parqués en arrière. Découragés, ils pensent démissionner en bloc. Je les en dissuade. Ils peuvent faire entendre leur voix prépondérante : on ne démissionne pas dans ces conditions. Alors, ils décident que l'activité de la « C.A.S. » devra être assez compromettante pour interdire, de ce fait, l'accès à la société des éléments peu reluisants qu'elle protège malgré elle. Immédiatement avant l'assemblée générale on choisit un conseil dans ce but ; il est élu intégralement.

Dans le choix de ce conseil, nous avons fait l'erreur de surestimer le courage de quelques élus. Nous avons eu le tort de vouloir être utiles, délicatement, à des artistes que nous admirons ; mais incapables de sentir notre activité. Nous désirions également rendre hommage à certaine valeur bien près de devenir sentimentale.

En ce moment de calme, il est facile d'analyser ces petites histoires. Elles se sont déroulées dans la fièvre de l'action, rarement aussi transparente !

Dès l'ouverture de la première assemblée le fiasco apparut lamentable. L'on mit près de trois heures de délibérations avant d'élire le président, et nous étions sept!... Si j'acceptai enfin le poste, ce fut pour terminer cette soirée désagréable devant le refus du conseil de la terminer autrement : en démissionnant et commandant de nouvelles élections. Maintenant j'ai la certitude que seule cette manœuvre eût été appropriée. Peut-être eût-elle sauvé la « C.A.S. » de la déconfiture. Mais, lorsque je prévenais des dangers imminents, l'on croyait à une forme de chantage. Le résultat de l'élection apparaissait même, à quelques-uns, comme dû à la cabale... Une heure avant l'élection nous ignorions encore pour qui voter.

Il n'a jamais été dans mes goûts de louvoyer, une année durant. Le conseil se révélant trop faible moralement pour mener à bien l'action révolutionnaire qui s'imposait, trop faible même pour prendre la décision de démissionner, dans l'impossibilité où il était de trouver le président rassurant désiré ; le lendemain matin j'écrivais une lettre cordiale à madame Marion Scott pour sa compréhensive attitude de la veille et lui demandais de bien vouloir, à titre de vice-présidente, faire part de ma démission à l'assemblée. Par le même courrier je rompais avec Lyman ; je rompais avec Gagnon dont la conduite avait été d'une inqualifiable inconséquence.

Entre temps Mousseau est revenu de Prague, Riopelle est revenu de Paris. – Ce dernier eut des succès auprès des surréalistes qui lui laissent entrevoir l'avenir de ce côté. – Fernand Leduc est encore en France. Contrairement à Riopelle, il n'arrive pas à s'entendre avec André Breton. Leduc multiplie les rencontres : surréalistes communistes non orthodoxes, le jeune poète Pichette et ses amis, etc. Sa générosité exigeante lui interdit partout l'accord qu'il désire.

Au sein du groupe un puissant besoin d'action, une grande inquiétude; faire le point s'impose. Il faut détruire des malentendus, ordonner dans l'unité des éléments contradictoires.

Dans la cité de grands amis rares: exceptionnels catholiques, témoignent tous les jours de leurs admirables qualités morales: pureté-intégrité. Je les considère comme les seules fleurs encore viables du christianisme. Fleurs largement ouvertes sur l'univers, elles déplorent amèrement le vide des formes sociales.

Cependant, ces amis ne peuvent lier la foi chrétienne aux vices sociaux qui pour nous en est devenue la cause. Pour eux la foi peut subsister à la ruine des formes sociales qu'elle a pourtant engendrées. Le social est humain, sujet aux vicissitudes humaines: la foi est divine, éternelle.

Pour nous la foi est strictement humaine: Dieu ne pouvant se justifier sous quelque aspect que nous l'imaginions. La foi créera une poésie d'essence religieuse (communiante), si elle est dynamique, une poésie d'essence personnaliste, sentimentale (isolante), si elle est au déclin.

Seule une foi, englobant le savoir humain présent dans une forme suffisamment dynamique pour détruire d'une part jusqu'au souvenir des vices sociaux qui étouffent les individus, et d'autre part réordonner les individus dans une nouvelle forme collective religieuse (foi et amour en nos semblables), peut justifier nos espoirs et notre ardeur.

Ces amis, comme nous, sont noyés dans notre profonde misère paysanne. Leur générosité commande le sauvetage de valeurs individuelles: d'individus, qui qu'ils soient, méritant à leurs yeux cette attention. Ils ont toute mon admiration et ma sympathie.

D'autres, aussi exigeants pour eux-mêmes – plus âgés – se sont retirés dans la forteresse liturgique et communient ainsi à un univers mystique : besoin de l'esprit. En même temps ils prodiguent leurs soins à une humanité retranchée de la société des hommes, et vaquent au bien-être de leur famille : besoin du cœur. La planète peut aller aux pires chaos, ils sont désormais à l'abri des désastres majeurs. Cette sagesse me fait peur...

Nombreux ceux à l'attitude ambivalente. Ils font la part de Dieu, la part du diable. Ils reconnaissent certaines nécessités humaines à sauvegarder – certaines commodités mondaines ou sociales auxquelles il faut sacrifier. Conserver une certaine dignité, un certain rang, une certaine aisance, une certaine facilité, une certaine gloire !

Tous ces chrétiens désirent maintenir les valeurs spirituelles définies, ou à définir, à la lumière du christianisme. Lumière éteinte pour nous.

La foule se débat magnifiquement dans l'obscurité ; pour elle tout est première nécessité. Sa vigueur collective est intacte. Ses agissements sont détestables parce que les cadres chargés de son information sont détestables. Toutes valeurs de pureté ont à les combattre.

La foule a une soif ardente et toutes les sources où elle peut s'abreuver sont empoisonnées.

Elle a tout notre amour.

Le grand devoir, l'unique, est d'ordonner spontanément un monde neuf où les passions les plus généreuses puissent se développer nombreuses, COLLECTIVES.

L'humain n'appartient qu'à l'homme. Chaque individu est responsable de la foule de ses frères, d'aujourd'hui, de demain! De la foule de ses frères, de leurs misères matérielles, psychiques; de leurs malheurs!

C'est pour répondre à cet unique devoir que *Refus global* fut écrit.

* *
*

À la fin de ces projections libérantes, si je tente d'aller au fond du problème de notre enseignement, de son inefficacité à susciter des maîtres en tous domaines, j'y vois la même déficience morale qui entache tout le comportement social. Notre enseignement est sans amour: il est intéressé à fabriquer des esclaves pour les détenteurs des pouvoirs économiques; intéressé à rendre ces esclaves efficaces. Nous dépensons beaucoup d'énergie et des millions dans ce but, mais nous ne pouvons trouver présentement ni personne ni un sou pour exalter les dons individuels qui seuls permettent la maîtrise.

Bien plus, si vous prêchez le désintéressement, la générosité, l'amour, vous serez jugés dangereux, l'on vous destituera « pour conduite et écrits incompatibles avec la fonction d'un professeur dans une institution d'enseignement de la province de Québec » dira le document final! « vous salirez ce que la majorité respecte » écrira le profasciste politico-critique littéraire!

Et l'on est sans remords, couvert par la Toute-Puissance Divine, la très haute et très efficace protection du clergé. Le clergé qui, lui non plus, ne désire pas d'homme pensant, agissant, jugeant, susceptible de critiquer, de crier! Des esclaves! Des esclaves à qui il est interdit dès le bas âge un comportement humain supérieur, par défense mortelle, éternelle, de toucher à tout ce qui est noble et courageux et dangereux. Des êtres crevant dans la crainte; ne pouvant juger des hommes et des choses que d'après des valeurs nominales. Voilà! ce qu'il nous faut, ce qu'il nous faut à tout prix! Des valeurs dynamiques? ça sent trop la dynamite, la révolution. Même le mot révolutionnaire a encore ici, dans certain milieu d'avant-garde s.v.p., le sens de briseur de vitres! Quelle pitié.

* *
*

Messieurs, vous touchez quand même au terme de votre puissance. Je sens que d'ici peu des centaines d'hommes venant des bas-fonds vous crieront à la face leur dégoût, leur haine mortelle. Des centaines d'hommes revendiqueront leur droit intégral à la vie. Des centaines d'hommes revendiqueront leurs droits au travail-passion et vomiront votre travail-corvée insignifiant et stérile. Des centaines d'hommes referont une société où il sera possible de circuler sans honte et de penser haut et net.

Vous vous demandez comment cela pourrait se faire? Il a suffi de quelques heures de cours par semaine durant onze ans et d'un peu d'amour pour noyer complètement l'action de l'École des beaux-arts et son formidable appareil! Des précisions? Sur vingt-quatre jeunes artistes admis à la « C.A.S. », dix-neuf sont de mes anciens élèves dont onze de l'École du meuble où l'étude de l'art était secondaire! Leurs activités sont incessantes, leurs relations s'étendent de New York à Paris.

Avec quoi a été réalisé tout ça ? Avec un restant d'horaire, un restant de budget et du meilleur de ce qu'un homme pouvait donner.

Vous y avez mis fin, soit ! mais je défie aucun pouvoir d'en effacer le souvenir et l'exemple.

Saint-Hilaire, février 1949

AUTRES ÉCRITS

FUSAIN

Jacques G. de Tonnancour, servi par un sens critique aigu, par une curiosité d'esprit remarquable – à quinze ans, n'est-il pas un fervent naturaliste – sut très tôt laisser tomber les sottes formules, les faux préceptes.

Doué d'une ardente imagination, d'une maturité d'esprit peu commune, à vingt ans, il découvre, il admire Morrice. Cette conquête lui ouvre largement la voie vers la grandeur dépouillée de l'art contemporain.

D'un côté de l'Océan, Matisse, Bonnard, Maillol, Cézanne, Picasso, Degas, lui révèlent les qualités fondamentales, la beauté permanente de l'objet d'art. De l'autre, Roberts, Pellan le soutiennent, l'encouragent, le guident, peut-être à leur insu.

La puissance qui l'habite retrouve graduellement l'équilibre dans l'harmonie des forces sensibles et des forces intellectuelles.

Poussé par son démon intérieur, il s'engage à son tour, de plus en plus, vers la généreuse, l'exigeante recherche de l'absolu. Il sait maintenant, par sa spontanéité, par sa sensibilité particulière, nous introduire au paradis bien gardé de la beauté plastique. Ce fusain vous y convie.

PAUL-ÉMILE BORDUAS

Jacques G. de Tonnancour était déjà une force critique avec laquelle il fallait compter. Il sera désormais un peintre qu'on ne saurait oublier.

MANIÈRES DE GOÛTER
UNE ŒUVRE D'ART

Des mille manières de goûter une œuvre d'art, une seule est absolue. Et elle est peu commune, celle qui permet la contemplation de sa beauté substantielle. Les autres sont relatives, douteuses, franchement mauvaises ; quelques-unes sont infâmes. Nous les avons adoptées malgré nous, guidés, à notre insu, par la force dispersante du siècle dernier. Force toute-puissante qui nous donne le sentiment de revivre le XIᵉ chapitre de la Genèse où, à la suite de la construction de la tour de Babel, il est dit : « Allons ! descendons, et là confondons leur langage, afin qu'ils n'entendent plus la langue les uns des autres. Et l'Éternel les dispersa loin de là sur la surface de toute la terre… »

Les causes de cette force furent nombreuses. Notre orgueil métaphysique, la première, qui nous fit croire depuis longtemps que nous possédions la connaissance philosophique parfaite, quand l'essentiel de la vie philosophique n'est pas dans la possession de la connaissance, mais dans la recherche continuelle de cette possession ; la fausse littérature d'art, ensuite les fausses critiques, tous les à-côtés, toutes les niaiseries sentimentales, toutes les turpitudes exécutèrent en nous la sentence biblique. Exécution si complète qu'il est quasi impossible à toute personne cultivée de retrouver dans l'art le lieu de sa beauté.

Un voile fut tissé des beautés illusoires, des qualités extérieures, de la puissance suggestive des chefs-d'œuvre passés. Ce voile devint si opaque qu'il nous cacha, non seulement l'objet métaphysique de l'œuvre d'art, mais même l'objet sensible, l'objet matériel.

Ce voile, nous l'avons aimé, enrichi, à notre tour, de notre complète incompréhension. Nous l'avons défendu avec acharnement. Était profanateur quiconque osait y toucher. C'était notre droit. Il nous coûtait des années d'un labeur incessant. Il était devenu indispensable, il remplissait toutes les fonctions, tenait lieu de tout, ne nous quittait plus : il comblait le vide de nos jours, mais du minerai de notre propre richesse subconsciente. Il donnait un prix inestimable aux copies qu'on pouvait avoir sur nos murs et par elles nous faisait croire à la présence des chefs-d'œuvre éloignés. Si par bonheur nous approchions d'un musée, il était encore là entre nous et l'œuvre, pour nous distraire, nous disperser.

Ce voile inviolable, sacré, dut être profané, déchiré, puisqu'il nous cachait de la beauté la vie, le mystère ; puisqu'il faussait tout, nous distrayait, nous dispersait quand le calme, le recueillement eût été nécessaire ; puisqu'il nous interdisait l'approche de l'objet d'art qui seul aurait pu nous révéler son secret. Il y eut scandale, tourments et pleurs.

Un monde ancien mourait : un monde nouveau renaissait. Un monde ancien mourait, rendu au terme de son évolution. Né dans le spiritualisme le plus pur, il s'effondrait quelques siècles trop tôt dans le matérialisme le plus grossier. Vous en connaissez l'histoire des débuts du christianisme à nos jours. Cette histoire nous l'avons étudiée sous bien des angles pour en tirer de multiples leçons. Je vous propose cependant d'en rechercher une nouvelle, celle de la nécessité de la vie instinctive et intelligente de l'esprit. Nécessité constatée dans l'art par son évidente évolution.

Revoyons rapidement un album composé des images, dans l'ordre chronologique, des premiers siècles de l'art chrétien à Delacroix. Ne nous arrêtons pas à chaque planche, mais observons avec une attention particulière la transformation de l'ensemble. La vie d'une grande famille spirituelle se développera sous nos yeux. (La part raisonnable de la vie spirituelle, collective ou individuelle, prend, dans un domaine particulier, le nom de discipline intellectuelle.)

Cependant, avant de feuilleter cette collection, j'aimerais que nous remontions plus avant dans l'histoire. Composons de nos souvenirs trois autres albums, l'un de l'art romain, un autre de l'art grec, et enfin, un troisième de l'art égyptien. Nous les regarderons de la même manière. Peut-être retrouverons-nous, par l'étude de sa vie continue, la connaissance objective de l'œuvre d'art, et, par elle, aurons-nous la révélation de sa beauté propre.

Des origines connues de l'histoire de l'art égyptien à son apogée, à la fin du Nouvel Empire, quatre mille ans se succèdent de l'art le plus pur et dans la plus lente évolution. Elle commença longtemps avant cette période qui ne remonte qu'à la naissance du calendrier.

L'art, au cours de la préhistoire, dut servir la magie ; passer ensuite, avec l'organisation de la société, au service de la religion ou des rois. Quels que fussent ses maîtres apparents, leurs exigences, il n'en connut jamais de plus puissant que celui de sa propre loi, de sa propre discipline intellectuelle. Elle guida lentement son évolution jusqu'à l'apogée. Faussée, il se faussa avec elle, et ils mirent tous deux dix siècles à disparaître.

La loi fatale qui conduisit cette discipline sans interruption de la vie à la mort, fut celle de la vie même. L'esprit, comme les êtres charnels, y est soumis. Il se prolonge par une transmission pure et vivifiante durant des millénaires. Mais si, un jour, arrivé au faîte de la puissance, il se complaît dans la gloire acquise, le fini du désir, dans la fin de son ultime raison d'être, de l'unique moyen de régénérescence, il se fausse, se détruit lui-même, disparaît et, avec lui, la civilisation qui lui donna le jour.

Cette nécessité, ce désir vivifiant, cette fin dernière fut pour l'Égypte la religion. Elle guida, de sa lumière spirituelle, tous les problèmes supérieurs de la nation ; orienta l'existence vers l'infini de la vie de l'âme qu'il fallait conserver au prix de la préservation de l'enveloppe charnelle qui en est le refuge, le soutien indispensable. Vie future et éternelle qu'on souhaita la plus belle, la plus heureuse possible.

Tant que les forces actives de l'intelligence égyptienne furent éclairées par cette foi, les disciplines intellectuelles des diverses activités humaines évoluèrent dans l'ordre, la pureté, la généreuse spontanéité en marche vers l'inconnu, l'infini. Voie essentielle de la vie, de toute vie.

Croyez-vous que l'être humain, par exemple, serait semblable à ce qu'il peut être, si, à sa naissance, il connaissait par expérience – dans ses sens et dans son esprit – l'amour, la mort, la douleur, la pauvreté, le bonheur et la richesse qui l'attendent ? Pourrait-il alors

être généreux, noble et fier ? Ne serait-il pas au contraire
méfiant, rusé et mesquin ? Vivrait-il dans la plénitude
de ses facultés un intérêt extrême ? N'est-ce pas cette
ignorance même de l'avenir qui permet à la vie sa
beauté, sa spontanéité ?

La discipline intellectuelle de l'art égyptien toucha
cet écueil du connu, à la fin du Nouvel Empire, terme
d'un acheminement parfait des origines à cette période.
Le premier artiste égyptien comme le dernier de sa
race, semblable en cela à tous les véritables artistes du
monde et de tous les temps, poussé par un impérieux
besoin de rendre témoignage de la vie, poussé par
l'amour d'une connaissance plus parfaite pour une
possession toujours renouvelée, s'engage résolument
dans le champ inexploité que sa vision lui découvre.

Dans l'ignorance de toute technique, il prend un
silex et trace, dans l'harmonie parfaite de l'intelligence
et des sens, l'image, à l'aspect rudimentaire d'abord,
de ses victoires, de ses désirs immédiats. Par cette
image, il avait espéré une libération totale dans une
possession absolue. L'image terminée, il désire la
contempler : un intérêt unique lui en cache la beauté.
Il ne se reconnaît plus lui-même. Sa déception est
immense. Pourtant cette image est le fidèle miroir de
sa complète humanité. La joie, l'enthousiasme éva-
nouis, il constate son impuissance. Froidement, il en
cherche la cause. Il ne confronte plus l'œuvre à la
plénitude anticipée où, dans l'action, son désir vivant
se perd. Il l'analyse. Y découvre une force étrangère,
celle de l'objectivité apparente du monde extérieur. Il
croit en elle, il l'implore. Son tourment ne connaîtra
plus de bornes. Un démon le possède ; il lui commande :
« Recommence et saisis cette fois l'insaisissable, je

t'aiderai ! » Son esprit et son cœur largement ouverts, avec enthousiasme il obéit sans cesse. Chaque fois, la joie est extrême; il croit atteindre le but de son rêve. Toujours la déception est amère et il recommence avec plus d'ardeur, avec plus de générosité, avec plus de pureté. De déception en déception, une double victoire est toutefois remportée. Celle de la beauté spontanée de l'œuvre par l'expression parfaite, dans la matière même de l'objet, de la sensibilité de l'individualité de son auteur. Victoire complète, particulière, inimitable, qui jamais plus ne sera dépassée. Une autre aussi, incomplète celle-là, relative et circonstancielle de la technique qui évolue imperceptiblement.

Les siècles passent. L'artiste graveur devient sculpteur. De demi-victoire en demi-victoire, l'aspect se transformera au fur et à mesure que se transforme en lui la représentation qu'il se fait du monde, au fur et à mesure qu'il recevra l'aide promise. L'objet d'art, d'aspect de rêve qu'il garde longtemps, devient de plus en plus figuratif. La constante objectivité apparente le conduira de la vraisemblance à l'illusion de la réalité.

L'architecture, guidée par sa loi particulière, se développera simultanément à l'évolution de la sculpture. Au service de plusieurs maîtres, des problèmes secondaires se créent pour elle. Ici non plus, cela ne changera rien à sa profonde évolution. Elle reste strictement parallèle aux autres disciplines intellectuelles de la même civilisation.

L'art de l'architecte est plus complexe que celui de la sculpture; il n'est pas comme lui libéré de toutes fonctions utilitaires. Son œuvre à lui doit faciliter la vie de l'homme au temple, à la cité, au foyer, y créer de l'ordre, de la beauté. Problème fini d'une part, infini de l'autre. D'une part fini, parce que l'homme doit pouvoir y remplir des fonctions exactes ; infini par la nécessité de combler son désir de contemplation.

L'architecture, à l'égal de tous les arts, contient une science vivante qui se développe le long des siècles vers le bonheur de sa maturité. D'aspect sauvage, rudimentaire, des époques préhistoriques, graduellement elle s'humanise. La stabilité de sa construction réalisée, elle deviendra plus large, plus souple, plus raffinée, plus fleurie. Là encore de demi-victoire en demi-victoire l'impossible devient possible.

La conquête semble entière dans tous les arts : l'architecture a satisfait les exigences humaines. La statuaire est dans toute sa splendeur. L'art ornemental a raison de tout. La civilisation égyptienne, dans la puissance sans limites de sa maturité, se croit désormais éternelle. Le poids de son savoir-faire est formidable. Il renverse l'équilibre humain, et fausse dans sa chute l'orientation de l'esprit. La mort mettra dix siècles à tout niveler. Ainsi disparut cet arbre de vie spirituelle aux ramifications profondes. Il avait permis, plus de quatre mille ans, la beauté spontanée d'un art sévère et pur.

Après l'art d'Égypte, fruit de l'immobile grandeur d'une éternité bienheureuse, celui de la Grèce nous convie de son sourire, invitant à la joie de vivre, au sein de laquelle la soif d'un bonheur infini ne fera plus défaut. La recherche passionnée de cette divine harmonie fera son unité spirituelle, orientera sa métaphysique, déterminera sa civilisation. Encore et toujours, l'art suivra son évolution.

L'époque historique est bien courte. Elle ne remonte qu'à la première Olympiade, en 776, pour se terminer avec l'occupation romaine, l'an 146 avant Jésus-Christ. Mais au vingtième siècle avant notre ère existait déjà l'art préhellénique, qui se développa des milliers d'années simultanément à l'art égyptien.

La Grèce, dans l'isolement géographique et intellectuel, refit, indépendante, les mêmes conquêtes de l'objectivité. Phidias, au cinquième siècle, situe son apogée. Soit cinq cents ans après l'époque glorieuse de l'Égypte. Dans une pureté exemplaire, l'art grec acquit graduellement l'aspect de tous les charmes de la vie corporelle des êtres. Ces victoires furent l'une des causes extérieures de notre perte par la Renaissance ; la seconde du même ordre vient de la même manière, de la Rome ancienne.

La sculpture de Phidias reste fière, noble, pure, généreuse. Elle est surchargée en plus de mille reflets des beautés extérieures qui nous sollicitent : beauté idéalisée des corps et des mouvements, de tous les éléments utilisés par le sculpteur. Beautés intrinsèques par leur harmonieuse expression dans le marbre, mais illusoires dans leur objet. Nous avons goûté jusqu'à l'enivrement l'illusion : nous avons ignoré l'expression. Nous nous sommes empoisonnés du reflet de la vie qui semble circuler dans ces êtres de pierre, mais nous avons oublié la vie particulière, la seule vie réelle de l'œuvre.

Tout comme dans le dixième siècle de l'art égyptien, le cinquième de l'art grec voit se rompre l'équilibre : l'unité humaine est perdue. L'expérimentation continuera vers de nouvelles mais fausses conquêtes. La perfection, la science qui avant Phidias et avec lui étaient gratuites – don magnifique de la vie dans l'élan vers l'inexprimable – deviennent la fin d'un désir précis, parfaitement calculé. L'artiste ne fait plus tout ce qu'il peut, différence extrême, il acquiert l'habileté nécessaire à l'exécution de tout ce qu'il veut. La science, la perfection, de positives qu'elles étaient, deviennent négatives. De sensibles, abstraites.

Le goût sain, vivant dans son désir intransigeant de l'essentiel, se fourvoie ; il recherche maintenant la joie prostituée de l'habileté acquise et perfectionnée, de l'accessoire, du secondaire. Le jugement se fausse : il décrète essentiels l'habileté, l'accessoire, le secondaire. Il croit que la science codifiée, complètement exploitée, est indispensable. Il ne se rend pas compte combien nocive elle est pour l'art. La vie puissante et généreuse se perd dans la mesquinerie de vains exercices d'un perfectionnement insensé. Quatre siècles conduiront la civilisation grecque de l'impuissance à la mort.

Au cours de son évolution du connu à l'inconnu, l'art égyptien acquit la science anatomique. Leurs pharaons nus sont des merveilles de précision. Merveilles autrement plus émouvantes que tous les manuels que l'on met encore, de par le monde, entre les mains de jeunes artistes. Mais les Égyptiens négligèrent la perspective. Aucun soupçon de cette science n'apparaît dans leur art. (Perspective veut dire, dans un sens, science de l'illusion.) De tels problèmes ne se posèrent pas intellectuellement pour eux. L'architecture, la statuaire avec leur réelle profondeur leur suffirent. L'ornementation sculpturale de leur architecture était en ronde-bosse partout où l'élément architectonique s'y prêtait, aux colonnes, par exemple. Sur les murs, la sculpture était la plus belle écriture que l'on puisse rêver. Jamais de moyen ou de haut-relief. L'objectivité est obtenue directement par la vivante sensibilité du trait, du modelé d'une finesse extrême. La même discipline est inconsciemment suivie dans la peinture. Je dis inconsciemment, car à la fin de la décadence, sous l'influence grecque, une frise existe, celle de Ptolémée VI entre les déesses du Nord et du Sud du temple d'Edfou, où ce problème illusoire de la profondeur est posé consciemment pour la première fois. Essai malheureux d'une assimilation impossible. Il venait trop tard pour l'art égyptien à jamais perdu. À la Grèce revient d'avoir vécu la découverte de la perspective. De subtils problèmes d'illusion d'optique furent même rigoureusement observés et résolus par l'architecte.

L'art romain peut naître. Il n'aura rien à inventer. En Égypte, en Grèce, les arts furent divins ; ils découvrirent spontanément leurs moyens d'expression plastique. L'art romain sera, lui, très humain ; il vivra des découvertes étrangères et fabriquera l'art moral. Nécessité métaphysique, conditionnée par l'impureté foncière de sa civilisation d'emprunt. La grandeur romaine résulte de la généreuse impétuosité à vivre, de la rigueur, de la pureté initiale des mœurs, du désintéressement individuel. Sa formidable force vitale lui permettra de tout assimiler.

Muni de ces qualités, puissant de la virginité de l'art étrusque, aidé de ce que la Grèce possède de forces vives et de ce qui n'est pas encore mort de l'Égypte, l'art romain ira à la conquête du monde. D'une bravoure remarquable, aucun problème ne lui fait peur. Pour la première fois dans l'histoire il s'attache à la recherche de l'expression des beautés d'ordre moral. L'âme humaine lui prêtera ses sentiments. Il devient familier ou grandiloquent. Son évolution fut aussi rapide que le furent les conquêtes militaires. Dans cent ans il atteint la puissance : il mettra trois siècles à se corrompre au rythme des corruptions ambiantes.

Au sein de cette outrageante splendeur, une philosophie jeune, ardente, une religion nouvelle, se propageait, gagnait chaque jour plus d'adeptes. Loi de vie venue de la Judée conquise par César. Elle s'infiltra sans faiblesse au cœur de Rome et de là rayonna dans ses colonies. Rien n'agit contre elle, ni les persécutions, ni les honneurs. Elle était invulnérable. Progression du christianisme, chute de l'Empire romain. L'une ne fut pas la cause de l'autre, la première accompagna seulement la dernière. La civilisation romaine rendue depuis longtemps à la maturité est incapable de renouvellement.

L'individu, de désintéressé qu'il était, devient intéressé, de généreux, calculateur. La vie n'est plus un mystère, il sait maintenant ce qu'il en attend, ce qu'il en désire. Il avait ardemment voulu la force que donnent le travail, l'intelligence, force qui en retour durant la phase empirique de la civilisation apporte généreusement la puissance. Il avait tout donné, tout sacrifié pour la gloire lointaine, incertaine, inconnue. Il désire maintenant la puissance de la gloire par tous les moyens, par la ruse, par le meurtre. Les facultés supérieures de l'être se détruisent elles-mêmes avec un acharnement diabolique. Ce qui est sain ne réussit plus, seule la malhonnêteté a des chances de succès. L'art devient une imposture, la science, une exploitation, la religion, un moyen de subsistance. L'ordre de la vie était disparu remplacé par le désordre de la mort. Ce fut la seule raison de sa perte. Quelques révolutions faussées à leur point de départ tentèrent en vain le rétablissement de l'équilibre. Les invasions des Barbares purifièrent le monde de cette putréfaction. Aucun pays de la terre ne put prendre pareille succession. Ce fut le chaos où sombra le monde antique.

Seule monta de ces ruines, dans la nuit tremblante d'appréhension qui succéda à ce gigantesque effondrement, la divine flamme de la religion nouvelle. Toutes les intelligences, tous les cours devinrent chrétiens.

L'art qui en naquit vécut trois siècles difficiles au centre de la Rome païenne. Possédé de sa raison particulière de vie, il épura d'abord l'art romain pour réagir ensuite violemment contre lui. Ce que les invasions étrangères avaient épargné, il le détruisit pour reconstruire, quelquefois avec ces ruines, selon sa rigoureuse discipline intellectuelle et instinctive. Tine conserve de l'art païen que la science pratique de construire une voûte, invention étrusque. Dans une absence admirable de moyens, dans une pauvreté évangélique, l'art chrétien refit, à son insu, les expériences anciennes. Il grandit ainsi jusqu'à la fin du Moyen Âge, acquérant sans cesse par la seule vertu de son désintéressement, richesse sur richesse d'expression plastique. Un fait imprévu modifia alors le rythme de son évolution.

Normalement, il aurait mis encore des siècles à atteindre la possibilité technique d'exprimer, dans sa perfection, l'illusion de la beauté objective qui le sollicitait. La découverte de l'art romain sera une révélation. L'artiste réalise instantanément, pour la première fois, dans une lucidité extraordinaire, le terme vers lequel il s'achemine dans une inconscience de moins en moins grande. Simultanément, toutes les sensibilités firent un bond en avant. Ce bond nous l'avons nommé: la Renaissance. C'était plutôt, pour l'art chrétien, une vieillesse prématurée. L'on sentit profondément la beauté accomplie de l'art romain, mais l'on ne comprit pas comment elle avait été possible. La discipline était en retard sur la sensibilité (l'exact contraire se produit aujourd'hui pour l'art vivant). Tous les esprits furent saisis d'une soif de connaissance encore inconnue ; elle se perpétue dans la science contemporaine. L'on expérimente avec fièvre les sciences connexes de l'art. Chaque jour apporte de nouvelles conquêtes. L'Italie, la première, vécut cette gloire extravagante : Léonard de Vinci, Michel-Ange, Raphaël. L'étude de l'art grec fut entreprise avec la même passion. La contagion gagna l'Europe entière. Les artistes se mirent à l'école de Rome ; ils participèrent à cette fièvre. De retour au pays, ils y implantèrent la Renaissance. Elle s'acclimata partout ; les disciplines anciennes furent abandonnées. Par sa prodigalité, la Renaissance s'épuisa graduellement. De pure, de vivifiante qu'elle fut, elle empoisonna tous les domaines de l'art. Vous seriez surpris de savoir ce que chacun nous lui devons. N'étudie-t-on pas encore le dessin par la copie de l'antique ? Il y a plus de trois siècles qu'il en est ainsi. Il ne reste vraiment qu'un sujet de consolation. L'art égyptien, le plus lent de tous, mit dix siècles à mourir. Trois de dix reste sept ; ce n'est pas pour demain.

L'art italien fut le premier à sombrer en croyant que la jouissance négative de la gloire et de la science passées (acquises dans l'action) était une inflexible tradition vivante. Il voulut se conserver intact et pur, sans la règle de vie. Il n'en est pas encore revenu. L'art des autres pays le suivit dans la tombe et pour la sceller à tout jamais, on organisa l'enseignement négatif des Beaux-Arts. La France seul pays de l'Europe sut sortir victorieuse de cette calamité. Et quand je dis la France, je ne pense qu'à la France vivante qui crée sans cesse dans la liberté. La France généreuse et ardente dans la poursuite de l'essentiel, de l'éternel, de l'absolu. Cette France-là fut souvent révolutionnaire. Elle le devient une fois de plus et retranche son existence en dehors des cadres de la société faussés, corrompus. La mort et la vie cohabitèrent la même nation. Une lutte ouverte s'engagea entre ces éléments, qui désormais sera peut-être éternelle.

De national que l'art était en Égypte, en Grèce, il devint international avec la civilisation romaine. Il n'a pas cessé de l'être depuis. Cette lutte engagée le fut aussi. L'art français sauva l'art occidental, sinon l'art chrétien.

Il puisa peut-être la force vitale nécessaire dans la réserve créée par ce bond en avant vers la mort prématurée que fut la Renaissance ? Il sut, en tout cas, logiquement, normalement, simplement nous conduire à une vie nouvelle, inespérée. Vie nouvelle que nous ne méritions plus. Chardin, Corot, David, Delacroix terminent cette évolution. Après eux, dans la même lignée, c'est le néant. La science du métier, de la technique, l'habileté, le souci du rendu, au poil (en violent langage d'atelier), sont encore une fois dans l'histoire recherchés pour eux-mêmes dans l'abstrait d'une connaissance considérable mais fixe, finie, insensée. C'est la négation de l'art, par la perte de l'équilibre, de l'harmonie humaine. Un monde ancien meurt.

Un nouveau renaît à la lumière, à l'ardeur, à la pureté première. L'impressionnisme nous le révèle, en découvrant, pour l'art, un champ totalement inconnu d'expérimentation : celui de la lumière physique.

Bienheureuse lumière qui chassa du coup toutes les illusoires beautés passées. Le scandale fut retentissant. Nous n'étions plus habitués à tant d'air frais. L'on se rendit cependant à l'évidence après trois quarts de siècle. Aujourd'hui, les personnes soi-disant cultivées acceptent les impressionnistes, sans beaucoup d'ardeur, sans amour ; mais l'on conçoit qu'ils furent utiles.

L'admiration s'arrête là. Pas plus que pour les œuvres du passé, on ne contemple leur beauté réelle, objective. Sisley, Degas, Renoir nous choquent encore, nous froissent, nous dérangent. Nous étions si bien sans eux, dans notre chambre close. Les faux artistes plus intéressés que le public et sans cesse à l'affût d'un perfectionnement continuel, s'emparent des moyens techniques découverts et les exploitent. Ils continuent ainsi la mort de l'art officiel. D'autres, dans leur candeur par trop juvénile, se vantent, après de longues années d'études ou même d'enseignement, d'être à la découverte de cette étourdissante lumière, comme si elle pouvait leur être encore inconnue. Des mots méchants me viennent à l'esprit, n'insistons pas…

Enfin l'on crut comprendre les impressionnistes. Ils expriment encore l'une des formes extérieures de la nature. Après eux tout s'enfonce. C'est le gouffre infranchissable.

En exprimant les formes du monde invisible, l'art occasionne la rupture, la confusion entière, comme si personne, en dehors des artistes ne possédait un monde étranger au monde qui l'entoure, un monde de « monstres familiers » selon la jolie expression de François Hertel.

Il était à prévoir ce gouffre infranchissable. Nous avions toujours recherché les qualités d'emprunt, aimé les beautés idéales, les beautés extérieures de la nature, quand il n'aurait jamais fallu cesser de contempler les beautés réelles, la beauté objective de l'œuvre d'art. Nous en avions aimé la beauté abstraite, sans en aimer la beauté sensible. Quand sans la beauté sensible, il ne saurait y avoir de réelle beauté abstraite. Nous n'avons aimé dans l'art que ce qu'il y avait d'illusoire, préférant ainsi l'ombre à la proie. Quand jamais cette première, si belle fût-elle, n'aurait dû seule nous satisfaire. Nous avons oublié constamment la beauté essentielle quand elle aurait dû avoir toute notre sollicitude, tout notre amour. Nous n'avons aimé dans l'art que ce qu'il y avait de voulu, de réalisé, d'atteint dans la figuration ; donc ce qu'il a de définitivement fixé, d'impersonnel et partant de mort. Quand il aurait fallu contempler en lui ce qu'il a de spontané, de généreux, de fatalement personnel, donc, ce qu'il a d'éternellement vivant et par-là de forcément changeant.

D'un côté c'est l'illusoire, l'apparence irréelle de la vie, mais la mort réelle dans la fixité. De l'autre, c'est le tangible avec ou sans l'apparence irréelle de la vie, mais c'est la vie réelle dans la constante évolution. Tel est le désaccord : le public vivant dans la mort de l'art ; les amis de l'essentiel vivant la vie de l'art.

Ces conditions ingrates confondirent le langage. Si l'art vivant emploie sa langue, nous ne l'entendons pas ; s'il emploie la nôtre, sa raison le désapprouve. S'il dit, par exemple, en employant notre langage : « Vous aimez de l'œuvre d'art les beautés idéales », il pense : « La beauté idéale ne saurait exister que dans son objet qui est l'idée, hors de laquelle aucune réalité ne lui est possible. » – « Vous en aimez les beautés naturelles. » Il pense : « La beauté naturelle ne saurait exister que dans la nature, hors de laquelle son aspect est illusoire. » – « Nous disons, ceci fait bien, cela fait mal. » – Lui pense : « Ceci est bien, cela est mal. Qu'importe que le bien fasse mal, que le mal fasse bien. »

L'extrait de la Genèse ne commençait pas trop haut : « Allons ! descendons, et là confondons leur langage, afin qu'ils n'entendent plus la langue les uns des autres… » Il faudrait réviser nos notions, refaire l'unité. L'art peut être pour nous l'occasion d'un renouvellement complet de notre vie intellectuelle et sensible. Le temps est propice ; un puissant intérêt nous anime. Depuis des semaines, des mois, des années, une profonde inquiétude nous gagne, accumulée par la multitude d'œuvres d'art réputées des chefs-d'œuvre, qui nous échappent, nous déplaisent ou nous font horreur. Nous sentons qu'un monde neuf, puissant, irrésistible se construit sans nous. Comment lui rester indifférent. Ne faudrait-il pas encore plus de force pour la résistance qu'il n'en faudrait pour abandonner, pendant qu'il en est temps, ce voile épais de nos préjugés qui nous fait tant de mal.

Quelques-uns d'entre nous doutent déjà de certaines convictions d'hier. Nous interrogeons dans le trouble, l'ère nouvelle qui s'avance, accompagnée de l'horrible tragédie universelle. Tragédie dont nous souffrons de tout notre être.

Une époque héroïque est commencée pour plusieurs ; elle s'étendra à tous. Pourquoi ne pas en être dès maintenant. Ne savons-nous pas que tous ceux et tout ce qui a réussi en ce siècle et demi passé, n'étaient pas nécessairement le meilleur. Ne savons-nous pas que de grands poètes sont morts inconnus, que de grands savants furent persécutés, que de grands artistes subirent le ridicule toute leur vie. Nous savons que la révision des comptes s'opère, qu'elle continuera; nous savons que tout être humain devrait se remettre à cette tâche éminemment humaine de détruire en lui ce qui a été corrompu, de redresser ce qui a été faussé, pour continuer ce qui est resté sain. L'avenir ne devrait plus nous trouver en défaut.

Les impressionnistes, les premiers, nous ont donné cet exemple de générosité: le courage d'aller de l'avant vers de nouvelles conquêtes. Par l'expérimentation des problèmes de la lumière colorée ils eurent sur l'évolution de la discipline intellectuelle, une double action. Ils complètent le cycle de l'expression plastique du monde extérieur qu'avaient entrepris les arts occidentaux passés. (L'art égyptien mit des siècles à la conquête de l'anatomie. L'art grec refit cette conquête en plus de la science optique de la perspective. L'art romain se servit des deux, emprunta en outre les sentiments de l'âme humaine. L'art chrétien suivit aussi ce même chemin et avec l'avènement de la peinture à l'huile s'attacha à rendre l'intimité des êtres et des choses. Je pense à Vermeer, à Chardin, à Corot. Les impressionnistes nous donnèrent la lumière colorée du paysage. Toutes les heures du jour et de la nuit furent mises à contribution, complétant ainsi la discipline intellectuelle de l'objectivisme.)

Ils indiquent également le chemin d'une nouvelle discipline intellectuelle, celui du subjectivisme que le public ne veut pas encore admettre. Pourtant rien n'est changé à l'œuvre d'art et jamais rien n'y sera changé tant que la matière sera ce qu'elle est et que l'homme restera humain. Je répéterai que tout objet d'art est fait de deux choses aussi réelles l'une que l'autre: d'une matière palpable : métaux, pierre, bois, peinture, papier, fusain etc., d'une part, et de la sensibilité particulière de l'artiste d'autre part : sensibilité imprimée dans la matière même de l'objet. Sensibilité d'autant plus générale, plus universelle qu'elle sera plus vivante, plus identifiable, plus pure. Cela seul est objectif à l'œuvre d'art. Le reste n'est qu'illusion.

L'objectivisme de l'art ancien est une illusion de la réalité extérieure à l'artiste. Le subjectivisme du nouveau est une illusion de la réalité intérieure à l'artiste. L'objet d'art reste intact, intouché, inviolé. Seule l'illusion a changé. Et la violence du malentendu prouve combien nous avons aimé, par le passé, cette chère et unique illusion.

L'impressionnisme en fermant une voie en indiquait une seconde. Les Fauves la suivirent. L'artiste romain sculpta, non seulement l'aspect physique, mais par le physique l'aspect moral de ses modèles. Matisse ne peignit ni l'un ni l'autre : il est à la poursuite de l'unique expression de son individualité consciente au moyen des êtres et des choses. Cézanne, Gauguin, Van Gogh, nés à l'art au sein de cette école, la quittèrent très tôt pour retourner à la forme extérieure sacrifiée au profit de la forme lumière. Le tableau devenant papillotant, ils le reconstruisirent dans une solidité jusqu'alors inconnue.

Cézanne révéla la poésie de la forme. Révélation forte de nouvelles expérimentations. La forme cézanienne étant poétique en elle-même, il restait à prouver, si dégagée de toute figuration, elle le serait encore. Le cubisme entreprit cette vérification. Il rompit complètement avec l'apparence des choses : les désorganisa pour les réorganiser selon la seule rigueur plastique.

Des possibilités picturales insoupçonnées se découvrent. Sans rappel immédiat de l'extérieur, sans même la vraisemblance, la poésie, la beauté substantielle persiste. La sensibilité reste intacte, la matière très pure. La preuve éclatante chante victoire.

Le cycle de la nature extérieure est bouclé par Renoir, Degas, Manet. Le cycle de l'expression propre, du moyen employé, intermédiaire entre l'artiste et le monde visible, est clos par le cubisme. Un seul reste ouvert : celui du monde invisible, propre à l'artiste, le surréalisme.

Notre ignorance scientifique de l'homme, de la vie, semble ouvrir un champ infini à l'art, cet éternel explorateur. Des directions s'ébauchent. Paul Klee cherche la voie mystérieuse de la raison pure par la géométrie. (Je suis confus de vous dire aussi sommairement ces choses. Il faudrait être poète pour rendre justice à de telles merveilles. J'ai d'ailleurs constamment senti se rapetisser, se minimiser, m'échapper même, au fur et à mesure que j'écris, l'immensité de telles vérités, mystères, beautés.) Cette géométrie de Paul Klee n'est point abstraite, revêche, semblable à quelque géométrie scolaire. Elle est au contraire chargée de la plus divine matière sensible. Elle est tout émotive, tout mystère, toute vie.

Dali dédaigne les découvertes plastiques cézaniennes et cubistes. Il emploie tantôt des moyens d'expression photographique, attendant de l'étrangeté des rencontres, la révélation recherchée : un appareil téléphonique en plein désert. Tantôt, en violente réaction contre la dureté, (l'incomestibilité de la pomme cézanienne à qui il préfère la pomme d'Adam des préraphaélites, tel qu'il l'écrit dans un amusant article), il recherche l'expression du mou imprévisible. Dali encore et quelques jeunes peintres expérimentent l'écran paranoïaque, invention de Léonard de Vinci. À un de ses élèves qui lui demandait quel sujet il pourrait peindre : « Va, lui disait-il, près d'un vieux mur de pierre. Regarde-le longtemps ; petit à petit tu y verras se dessiner des êtres et des choses. Tu découvriras ainsi un sujet de tableau bien à toi. » Qu'il suffise de dire : la décalcomanie est un des écrans employés. Une autre voie, enfin, est celle de la peinture automatique qui permettrait l'expression plastique, des images, des souvenirs assimilés par l'artiste et qui donnerait la somme de son être psychique et intellectuel.

L'avenir reste entier, inconnu. Il ne livrera son secret qu'à ceux qui ne craignent pas la vie, qui s'y donnent généreusement, spontanément en possession du passé.

Je vous ai conjugué plusieurs fois le verbe chercher. Picasso a raison de répondre à qui lui demande ce qu'il cherche : « Je ne cherche pas, je trouve. » Car trouver, en art, veut dire vivre harmonieusement la vie de l'art. Il n'y a qu'une condition possible de vivre harmonieusement toute vie, celle du cœur, de l'esprit largement ouverts. Le reste est ensuite donné par surcroît.

Pour posséder de nouveau cette bienfaisante manière contemplative, il faut retrouver l'harmonie perdue, condition primordiale de la contemplation.

La nature nous invite, avec ses mille beautés indiscutables, à une désintoxication. Devant ses merveilles, oublions un moment notre mémoire surchargée. N'aimons plus, ne contemplons plus les choses qu'à leur endroit particulier. La mer nous attend. Rendons-nous sur la grève. Là, graduellement, par la vue, prenons-en possession. De profondes résonances s'éveilleront en nous. Nous l'aimerons, nous la contemplerons.

Nous la contemplerons, non pour les beautés morales qu'elle pourra éveiller, car alors, ce ne serait plus la mer, mais la beauté de la morale que nous contemplerions. Ceci est tout autre chose. Ne la contemplons pas non plus pour les souvenirs poétiques qu'elle pourra nous rappeler, elle qui fut le prétexte de bien des chefs-d'œuvre de la poésie, car là encore, la mer s'effacerait pour faire place à la beauté de ces souvenirs. Si réelles, si pures, si intenses que soient ces beautés, la mer n'y serait pour presque rien.

Non, aimons, contemplons la mer pour elle-même, pour ses qualités objectives. Pour son immensité, pour sa mobilité, pour son rythme, pour son calme, pour sa colère, pour ses couleurs. Contemplons la mer pour sa beauté unique, inimitable. Un pêcheur, un navigateur, un touriste peuvent l'aimer ou la haïr pour bien d'autres raisons, mais aucun être humain ne peut la contempler pour autre chose que ce qu'elle est.

Lorsque nous pourrons ainsi retrouver de toute la nature, les beautés spécifiques, les contempler, nous pourrons de l'œuvre d'art, retrouver les beautés spécifiques, différencier les beautés illusoires des beautés réelles, contempler cette beauté dans sa substance, dans son mystère infini. Beauté sœur de la beauté de l'homme, beauté sœur de la beauté de l'univers sensible.

Beauté intermédiaire entre nous et la beauté de la terre, mais beauté spécifique, beauté identifiée, beauté particulière, inimitable, comme toutes les beautés de la création. Nous ne pourrons plus alors parler sérieusement de mode, de snobisme, des profiteurs et des farceurs, nous ne craindrons plus d'être dupes. Nous saurons goûter la beauté d'un dessin d'enfant comme la beauté de la Femme au coq de Picasso. Nous pourrons contempler la beauté universelle, de la nature, de l'art, fonction essentiellement humaine.

LA TRANSFORMATION CONTINUELLE

La transformation continuelle de la naissance à la mort s'opère dans la prescience de nos besoins à venir. Cette prescience désaxe nos désirs en avant du moment présent. Demain nous espérons être un peu plus forts, un peu plus lucides, un peu plus riches de toute espèce, être un peu plus libres, un peu plus humains, un peu moins misérables. Et si nous disons un peu, ce n'est pas par humilité. Notre mémoire, notre raison agissent comme modérateurs sur nos désirs. Au fond nous voudrions briser immédiatement toutes les entraves à notre totale réalisation. Ce qui ne saurait être si facile.

D'abord il ne peut y avoir de liberté sans une certaine connaissance. Plus : nous croyons que notre liberté sera toujours proportionnée à notre connaissance sensible.

Par liberté, on entend celle d'être au meilleur de soi-même. Ce meilleur est bien caché, il faut d'abord le connaître. Durant des années nous préférions être untel, ou tel autre, plutôt qu'être ce que nous sommes et que nous seuls pouvons être. Ensuite, notre individualité acceptée, en toute humilité cette fois, lorsque enfin nous sommes d'accord avec l'univers, nous nous trouvons en désaccord de plus en plus grave avec nos semblables… Il ne saurait y avoir de liberté pour un seul.

La possibilité existe de ne rien faire, dans un tel cas, ou d'exploiter les autres par la connaissance acquise. Deux solutions exécrables qui s'opposent d'ailleurs à notre libération et à celle d'autrui.

Ce sont cependant les solutions courantes.

Les désirs de l'homme couvrent la gamme des possibilités de satisfaction de l'espèce. À chacun les siens.

Certains désirs ont des joies sans espoir.

D'autres offrent plus de résistance à l'usure.

D'autres enfin ne donnent toute la vie que l'espoir d'une réalisation lointaine.

Ces désirs généreux, englobant dans leurs soucis le bien de tous les hommes, ont de fortes tenailles pour quelques individus. Ces individus ne sont ni pratiques ni utilisables pour les œuvres du jour.

Leurs espoirs, leurs rêves, les rendent pleins de naïveté de toutes sortes.

*   *
*

On va de l'objet d'un désir à un autre selon l'état particulier, selon les circonstances.

Un objet épuisé d'espoir en appelle un autre neuf, contraire ou renouvelé.

L'orientation des désirs individuels, des désirs collectifs peut s'exprimer par l'espoir d'une parfaite liberté.

Liberté de réaliser pleinement sa vie sensible, sa vie morale. Réalisation complète de l'homme dans la collectivité. Liberté de réaliser l'avènement humain.

À l'occident de l'histoire, se dresse l'anarchie, comme la seule forme sociale ouverte à la multitude des possibilités des réalisations individuelles. Nous croyons la conscience sociale susceptible d'un développement suffisant pour qu'un jour l'homme puisse se gouverner sans police, sans gouvernement. Les services d'utilité publique devant suffire. Nous croyons la conscience sociale susceptible d'un développement suffisant pour qu'un jour l'homme puisse se gouverner dans l'ordre le plus spontané, le plus imprévu.

Certes, nous sommes loin d'un tel état. C'est quand même notre seul espoir en l'avenir ; sans lui, la vie vaut-elle d'être vécue ?

Nous sommes loin d'un tel état, mais notre espoir en la perfectibilité de l'être humain nous permet ce rêve dont la réalisation est continuellement retardée par les forces qui s'y opposent. Forces de l'ignorance, volontairement imposées, forces de la crainte de perdre une parcelle d'un bien déjà périmé, forces que procure « l'odieuse exploitation de l'homme par l'homme », forces d'opposition centralisées dans relativement bien peu de mains.

Toutes ces forces d'opposition à la marche en avant de la connaissance sensible de la foule, connaissance qui éclaire les objets de ses désirs, sont puissamment organisées dans les cadres actuels de la société.

Ces cadres font l'impossible pour conserver chez les peuples, chez les individus, les espoirs anciens et les désirs périmés.

Ils ne céderont ni leurs places ni leurs privilèges de gaieté de cœur. Privilèges et places qu'ils croient d'ailleurs mérités de toute éternité, ou par leur froide insensibilité.

* *
*

Pour un individu, il est aussi impossible de se conformer à ce qui fut, qu'il lui est impossible de le rejeter.

Seule l'obéissance au meilleur de soi-même, au moment présent, est justifiable. (Meilleur qui ne saurait nous être donné après coup par qui que ce soit.)

Demain sera plus ou moins libre selon que nous aurons été plus ou moins simples aujourd'hui.

Nous devons réaliser que nous sommes les fruits de désirs anciens. Nos désirs à leur tour transformeront le monde. Les fruits de nos activités passionnelles seront aussi détachés de nous que nous le sommes des désirs anciens. Nous n'avons pas à nous soucier d'eux avant qu'ils ne soient.

*   *
*

Les cadres de la société tuent lentement la vie qu'ils exploitent. Ces cadres sont sans espoir. Ils seront brisés un jour dans une suprême tentative de délivrer les possibilités du lendemain.

Ces cadres seront remplacés par d'autres qui céderont aussi jusqu'à ce que l'homme ait conquis sa liberté entière. Alors l'anarchie s'opposera à toute utilisation de la vie.

*   *
*

Plus l'objet d'un désir est transformant, rayonnant d'espoir, plus il semble fixe.

Au cours des siècles et des siècles, les civilisations passées, dans leur impuissance à justifier le désir de liberté, de totale délivrance autrement qu'en Dieu, mirent durant toute leur histoire l'espoir sur les valeurs surnaturelles, spirituelles.

Notre connaissance actuelle de l'homme, notre intelligence des mouvements de l'histoire, si minime soit-elle, nous permet de ramener ce terme de liberté sur terre.

Il n'est plus insensé de croire à la complète réalisation des possibilités humaines dans son milieu, de son vivant, au jour le jour.

Les civilisations passées, en maintenant l'accent sur les valeurs spirituelles, affinèrent nos perceptions sensibles et découvrirent spontanément, comme malgré elles, le monde physique.

La civilisation qui monte, en maintenant l'accent sur les valeurs matérielles, objectives, par le même phénomène amoureux, découvrira le monde subjectif et continuera l'évolution de nos perceptions sensibles.

* *
*

Choisir n'est possible que pour ce qui existe déjà. Nous conservons la manie d'employer comme substantif : vérité et beauté. Ce ne saurait être pour nous que des qualités, des relations que nous déterminons avec des objets. Relations nulles sans ces objets, nulles aussi avec ces mêmes objets mais dans un autre état de la connaissance sensible.

La vérité est une relation rassurante à un moment donné de notre vie, ou de l'histoire.

La beauté, une relation troublante. Toutes deux ont besoin de l'espoir.

Une vérité crue durant vingt siècles, et qui n'a pas encore apporté le mieux que l'homme était en droit d'attendre d'elle, se révèle sans espoir, injustifiable. Une beauté sans espoir ne saurait nous émouvoir longtemps.

Quand il y a comme ça dans le monde beaucoup de relations anciennes, la tentation est forte de vouloir choisir la vérité et la beauté de demain, ou encore leur utilité.

Quelle troublante aventure cependant pour un homme adulte (en pleine possession du passé) d'obéir généreusement au présent qui façonne l'imprévisible devenir.

*   *
*

L'enfant, un des fruits du désir de l'amour, n'est uni au désir qui lui permet d'être que par magie surrationnelle.

Dans l'amour fou, le désir délirant est la possession totale de l'objet aimé, possession qui exige un don équivalent de soi. Le bonheur désiré est sans limites, indéfini.

Chaque plaisir, si violent soit-il, n'est qu'un moyen.

L'enfant naît d'un de ces moyens.

Le pommier fait lui-même ses fleurs. Elles seront cependant impuissantes à produire leur fruit sans les hasards heureux de la pollinisation.

Les pommes sont des grâces surrationnelles pour le pommier.

Voilà des objets non préconçus, généreux, spontanés.

*   *
*

L'objet en soi est insaisissable, inépuisable.

Tant qu'un être sensible existera, il permettra de nouvelles relations, de nouveaux rapports. Une relation ancienne en libérant une nouvelle.

L'homme ne s'intéresse à ce qui est que pour se mieux connaître de relation en relation.

La vie de la pensée suit la vie des corps. Elle ne peut sauter les étapes ; force lui est de les assimiler.

Les formes du ciel, de la terre, du feu et de l'air ne nous effrayent plus. De relation en relation, elles nous sont devenues familières.

La matière nous livre ses secrets physiques. Ses possibilités émotives nous affolent encore. Les limites de la vie semblent les limites mêmes de la matière.

Aucune connaissance rationnelle n'est possible. Seul le savoir est rationnel.

La forme que nous prêtons à l'objet de nos désirs est fournie par notre connaissance sensible.

Notre connaissance sensible est déterminée par la somme de nos perceptions sensibles, par leurs qualités, par notre possibilité relationnelle.

La qualité de l'espoir en l'objet désiré détermine la qualité de notre activité.

Si l'espoir est sans limites, notre activité sera sans compromis, sans restrictions mentales : au sommet de la vitalité, de l'efficacité.

Aucune connaissance rationnelle n'est possible ni pour les comportements émotifs de la matière ni pour ses mouvements physiques.

Les sciences abstraites rationnelles ne font que rendre compte des connaissances acquises par les perceptions sensibles hors desquelles il n'y a plus de contacts.

Pour les sciences morales, rendre compte devient de plus en plus possible.

L'exception d'hier, incompréhensible, injustifiable autrement que par une intervention surnaturelle, se justifie aujourd'hui par les comportements émotifs de la matière à tous les stades de la vie.

Prévoir, non dans le sens de l'assurance, mais de l'imprévisible, reste le grand espoir du poète le plus dénué de moyens, du savant au centre d'un laboratoire d'un million de dollars.

Seuls les espoirs morts les séparent.

Le désir de connaître débute dans la magie. La science rend compte de la connaissance en cours de route.

Le désir de connaître n'a jamais cessé d'être magique. Seule la communication scientifique à la société a perdu son caractère magique remplacé graduellement par un caractère rationnel, utilitaire.

Une religion rendue au stade de l'intégration a depuis longtemps perdu sa force dynamique. Elle développe un complexe de défense contre cette vie qui n'est plus la sienne. Elle interdit dès lors à la connaissance d'utiliser des pouvoirs qu'elle se reconnaît à elle seule et monopolise. Elle persécute toute connaissance nouvelle d'abord, tente ensuite de l'intégrer selon sa puissance digestive.

Sous ces pressions, le communiqué devient de plus en plus rationnel. Il ne contient que l'expérience stricte, le résultat tangible. L'espoir, le désir, l'émoi, le délire du savant en est exclus.

Le contact humain, sensible, mystérieux, magique avec l'objet du désir est rompu pour la foule.

À la place d'une opération troublante, elle a un objet mort de plus.

L'accent se reporte sur les techniques rassurantes.

Si la communication à la foule avait normalement continué de se faire à la seule place digne d'elle, sur l'autel du sacrifice, l'émoi du savant, du sacrificateur eût été aussi celui de la foule.

Il n'y aurait pas eu rupture entre l'abstraction et l'objet, entre l'objet et son perpétuel mystère relationnel.

L'évolution émotive eût été ininterrompue.

Pour les activités morales, les réflexes de défense sont encore plus violents. Après deux siècles, les œuvres de Sade sont introuvables en librairie. Ce n'est pourtant pas Sade qui est hors de la société des hommes, ce sont les cadres de cette société qui le rejettent.

Les poètes ont tous plus ou moins le même sort selon leur pouvoir transformant. Seuls les affineurs sont fêtés. L'accent passe des passions ardentes aux techniques intéressées.

Ces techniques président officiellement aux destinées communes. Il n'en fut pas toujours ainsi.

Des prêtres dont l'inconséquence est inqualifiable persistent avec acharnement à répéter indéfiniment la même messe de la fausse adolescence, d'une adolescence immobilisée. Depuis des siècles répètent les mêmes faux mystères.

* *
*

L'horreur du présent, fruit d'un long passé sans amour, est que presque seul le comportement immoral, intéressé, soit pratique, efficace.

Dans une société en route vers l'anarchie comme dans une vie sur la même voie, au contraire il n'y a que la générosité qui soit positive, efficace.

Tant que le gouvernement des peuples sera aux mains des esprits utilitaires agissant dans des cadres définis d'avance, quelle que soit la classe ascendante (vers le pouvoir), la décadence n'aura pas atteint sa limite. Elle descendra ainsi au cœur de la foule qui alors la vomira et avec elle tous ses faux guides.

Pour hâter ce moment, il faudrait redonner à la foule les généreux scandales de la vérité qu'on lui a cachés ou défigurés délibérément. Il faudrait que son évolution émotive retrouve les mystères où ils sont rendus. Eux ne peuvent revenir en arrière sans perdre contact avec le réel.

Il faut tout au moins se rendre compte que pour la foule un espoir limité ne saurait être délirant, dynamique.

Pas plus que pour un individu.

C'est même un désespoir de plus.

Le risque total serait autrement dynamique.

Mais pour ce risque, il faut une évolution émotive, pour soi, pour la foule, que l'on refuse et se refuse.

L'homme préfère ne pas voir, ne pas entendre, avec le fallacieux espoir que sa visière et ses oreillères ainsi rabattues l'empêcheront de vieillir, de mourir.

La crainte de perdre pied, d'être seul, la crainte de perdre une parcelle d'un passé déjà lointain, dépassé, qui n'a plus pour lui qu'une valeur sentimentale, lui fait manquer l'occasion d'un contact autrement émouvant avec une réalité neuve. La crainte de risquer sa tranquillité et sa sécurité illusoires lui fait préférer grignoter un fruit sec, encore réel en lui peut-être, mais déshydraté depuis mille ans d'espoirs déçus.

L'homme n'a pas le courage de prendre l'entière responsabilité du lendemain.

Toute son ingéniosité ne sert qu'à freiner.

Toute son ingéniosité n'empêchera pas les freins de sauter.

COMMENTAIRES SUR DES MOTS COURANTS

ABSTRAIT, adj. Qui désigne une qualité, abstraction faite du sujet comme blancheur, bonté. Qui opère sur des qualités pures et non sur des réalités : sciences abstraites. Difficile à comprendre : écrivain abstrait. (Larousse)

ABSTRACTION PLASTIQUE. Désigne les objets volontairement constructifs dans une forme régularisée.

ABSTRACTION BAROQUE. Fut proposée pour désigner les objets sans souci d'ordonnance, non nécessairement sans ordre. (Hist. Depuis les expériences cubistes le mot abstraction désigne abusivement tout objet difficile à comprendre.)

ACADÉMIQUE, adj. Propre à une académie : fauteuil, séance académique ; où l'art se fait trop sentir. Pose académique : prétentieuse. (Larousse)

Synonymes : mort, froid, volontaire, systématique, rationnel, intentionnel, répétitif, double emploi, impersonnel, insensible, calculé, etc., et zut ! faites un petit effort.

AUTOMATIQUE, adj. Caractère de tout geste, de toute œuvre non préméditée.

AUTOMATISME. Un des moyens suggérés par André Breton pour l'étude du mouvement de la pensée. On distingue trois modes d'automatisme : mécanique, psychique, surrationnel.

AUTOMATISME MÉCANIQUE. Produit par des moyens strictement physiques, plissage, grattage, frottements, dépôts, fumage, gravitation, rotation, etc. Les objets ainsi obtenus possèdent les qualités plastiques universelles (les mêmes nécessités physiques façonnent la matière).

Ces objets sont peu révélateurs de la personnalité de leur auteur. En revanche ils constituent d'excellents écrans paranoïaques.

AUTOMATISME PSYCHIQUE. En littérature : écriture sans critique du mouvement de la pensée. Dans des états sensibles particuliers a permis les hallucinantes prophéties des temps modernes : surréalisme. Contribua largement au bond en avant de l'observation du processus de la création artistique.

En peinture : a surtout utilisé la mémoire. Mémoire onirique : Dali ; mémoire d'une légère hallucination : Tanguy, Dali ; mémoire des hasards de toute espèce : Duchamp, etc. À cause de la mémoire utilisée, l'intérêt se porte davantage sur le sujet traité (idée, similitude, image, association imprévue d'objets, relation mentale) que sur le sujet réel (objet plastique, propre aux relations sensibles de la matière employée).

AUTOMATISME SURRATIONNEL. Écriture plastique non préconçue. Une forme en appelle une autre jusqu'au sentiment de l'unité, ou de l'impossibilité d'aller plus loin sans destruction.

En cours d'exécution aucune attention n'est apportée au contenu. L'assurance qu'il est fatalement lié au contenant justifie cette liberté : Lautréamont.

Complète indépendance morale vis-à-vis l'objet produit. Il est laissé intact, repris en partie ou détruit selon le sentiment qu'il déclenche (quasi-impossibilité de reprise partielle). Tentative d'une prise de conscience plastique au cours de l'écriture (plus exactement peut-être « un état de veille » – Robert Élie). Désir de comprendre le contenu une fois l'objet terminé.

Ses espoirs : une connaissance aiguisée du contenu psychologique de toute forme, de l'univers humain fait de l'univers tout court.

CUBISME, n.m. Période récente de l'histoire de l'art. 1911. Les premiers tableaux de cette école seraient attribuables à Georges Braque : des petits paysages aux éléments naturels traités en des formes géométriques, d'où le nom de cubisme. De cette tentative hasardeuse, mais limitée, aidée de la fameuse ligne spatiale de Cézanne, l'on détruisit assez rapidement jusqu'à la vraisemblance des sujets d'emprunt, sans cependant abandonner l'idée.

Picasso dans la phase aiguë alla jusqu'à l'emploi exclusif d'éléments géométriques sans autres similitudes.

La qualité émotive du tableau, contrairement à la crainte provoquée par une telle amputation, devient plus troublante. Ces expériences irrationnelles détruisirent les valeurs sentimentales passées, jugées jusque-là à tout jamais indispensables.

L'école devient vite rationaliste. Les répétitions incessantes de ses nombreux «missionnaires» se montrent encore capables de satisfaire leur peu de curiosité.

DÉLIRE, n.m. Égarement causé par la fièvre, la maladie. Grande agitation de l'âme causée par les passions: le délire de l'ambition. Enthousiasme, transports. (Larousse)

ÉCRAN PARANOÏAQUE. Surface dont la vue prolongée sert à fixer les phantasmes en une vision claire.

Exemple: conseil de Léonard de Vinci à l'un de ses élèves: «... tu t'es arrêté à contempler aux taches des murs, dans les cendres du foyer, dans les nuages ou les ruisseaux; et si tu les considères attentivement, tu y découvriras des inventions très admirables dont le génie du peintre peut tirer parti, pour composer des batailles d'animaux ou d'hommes, des paysages ou des monstres, ou autres choses qui te feront honneur.»

FORME, n.f. Un signe, même un point, s'il exprime un volume, non une seule surface qui déterminerait une silhouette. L'ensemble des surfaces d'un objet donné.

La forme ne sera émouvante que si elle est réinventée à tous les degrés de la connaissance sensible.

La conscience détermine le caractère de la forme: naturaliste, impressionniste, futuriste, fauviste, cubiste, surréaliste, surrationnelle.

Impossibilité pour la forme de conserver sa puissance émotive dans l'utilisation consciente. Elle devient alors académique. Synonyme: insensible.

MAGIE, n.f. Imprévisible transformation apportée par le désir-passion.

MYTHE, n.m. Le mythe ne saurait naître d'une imagination gratuite. De tout temps les nécessités rationnelles sont évidentes et actives.

Un mythe est le symbole le plus parfait, à un moment donné de la connaissance, d'une réalité mystérieuse évidente et constante. Symbole exprimant dans une relation englobante le connu et l'inconnu de cet objet même.

L'erreur passée n'est pas attribuable au mythe de sa naissance à son apogée, mais aux cadres qui l'utilisent dans un état d'immobilité par prestige de la gloire passée à un moment où il devrait être remplacé, qui entretiennent ainsi les relations devenues injustifiables, enfin exploitation sans vergogne, et freinent l'évolution sensible.

Pour nous, fini le freinage. Gloire aux relations neuves !

PLASTIQUE, adj. (du grec, plastikos, de plastês : qui façonne) propre à être modelé : argile plastique. Qui concerne la reproduction des formes : la statuaire, la peinture sont des arts plastiques.

PLASTIQUE, n.f. Art de modeler les figures : la plastique grecque. Abusivement : ensemble des formes d'une personne : la plastique irréprochable d'Apollon. (Larousse)

RÉVOLUTION, n.f. Les révolutions marquent les grandes étapes de la décadence d'une civilisation (d'un « égrégore » – Pierre Mabille). Tant que la connaissance ne permet pas d'en comprendre le mécanisme, elles provoquent l'espoir délirant d'une correction définitive du sort. Les révolutions marquent aussi les grandes étapes du progrès scientifique, mécanique.

Dans une civilisation ascendante née du chaos dans la foi retrouvée en l'amour, le pouvoir met des siècles à s'unifier : le temps que met l'intelligence à préciser l'objet de sa foi, de son amour. Au terme de la précision, le pouvoir est réuni sur un seul être – personnification humaine – de l'objet spirituel éternel.

L'utilisation inconsciente, consciente, et enfin scandaleusement cynique en use le dynamisme social. Il est alors violemment rejeté par les foules pour qui il ne devient plus qu'une valeur sentimentale.

Le pouvoir absolu, appuyé par une classe relativement restreinte, tout en restant unifié, perd son caractère personnel et devient le privilège d'une classe plus nombreuse, intermédiaire entre le peuple et la noblesse. L'écartèlement commencé sous la royauté entre les puissances psychiques – chevaleresques – et les puissances rationnelles – laborieuses – se poursuit. L'exploitation use alors les concepts dynamiques de LIBERTÉ, ÉGALITÉ, FRATERNITÉ, inconsciemment d'abord, consciemment ensuite, enfin jusqu'au cynisme le plus odieux.

La liberté, l'égalité, la fraternité ne semblent plus possibles qu'au sein d'une même et seule classe. Le prolétariat s'empare alors du pouvoir et, de force, exploite l'efficacité méthodique, dernière phase possible de l'écartèlement entre la passion et la raison. Dernier stage dynamique de la froide cruauté intentionnelle. Le fond de la marmite où l'unification, la centralisation du pouvoir éclatera de nouveau pour retomber en étincelles sur les têtes les plus ardentes, les moins rationnelles.

SENSIBLE, adj. Qui réagit généreusement aux perceptions sensibles.

Les dessins d'enfants ne sont si émouvants qu'à cause de leur inaptitude à résoudre rationnellement les problèmes posés à leur sensibilité. Il suffit au maître d'indiquer un moyen, une solution rationnelle pour qu'aussitôt l'enchantement disparaisse de leurs dessins.

Pouvoir d'exprimer une relation formelle directement liée aux perceptions sensibles.

SPONTANÉ, adj. (du latin *sponte*: de son propre mouvement) Que l'on fait soi-même sans y être poussé par une influence extérieure: déclaration spontanée. Qui s'exécute de soi-même et sans cause apparente: les mouvements du cœur sont spontanés. (Larousse)

La spontanéité est le signe de la générosité.

SURRATIONNEL, adj. Indique en dessus des possibilités rationnelles du moment. Un acte surrationnel aujourd'hui pourra être parfaitement rationnel demain.

L'acte surrationnel tente la possibilité inconnue; la raison en récolte les bénéfices.

TABLEAU. Un tableau est un objet sans importance.

Il n'empêche pas des milliers d'êtres de souffrir de la faim, du froid, des maladies; il ne peut éviter non plus que des villes entières sautent corps et biens, d'un seul coup, sous le choc explosif de nos engins meurtriers.

Cependant il a su lentement situer l'homme dans sa foi, son espoir d'éternité, d'éternité de bonheur : étape religieuse du début du christianisme à la fin du Moyen Âge.

Ensuite nous révéler les formes du ciel, de la terre et de l'homme, assimiler les cultures païennes de l'Égypte, de la Grèce et de Rome : de la Renaissance à l'impressionnisme. Nous familiariser aux formes diffuses de la lumière : impressionnisme ; ou au mécanisme du mouvement : futurisme. Définir la relation individuelle de l'artiste dans le monde de la forme, assimiler l'art nègre : fauvisme. Dévoiler les réalités plastiques du tableau : cubisme. Enfin nous découvrir un vaste domaine jusqu'alors inexploré, tabou réservé aux anges et aux démons : surréalisme.

Nous avons la conviction que ce monde-là, comme pour le physique, le tableau finisse par nous le rendre familier, dût-il y consacrer les siècles à venir d'une civilisation nouvelle.

Cette équipe vous présente ces similitudes nouvelles.

Les secrets de ces tableaux, de même que pour les œuvres du passé, sont emprisonnés dans les formes.

Peu de personnes savent lire ces formes ; exactement le nombre de celles qui peuvent vivre la réalité d'un tableau ancien, ou du plus modeste caillou. Seuls les enfants et les simples possèdent ce don merveilleux du contact direct avec la forme sans l'intermédiaire des mots (similitudes), le pouvoir de recréer en eux la réalité émotive de l'objet sous la main, sous les yeux.

Les yeux, le tact en viennent, après quelques années de dévitalisation (appelez ça : instruction, si vous voulez, ou éducation) à n'être utiles qu'à reconnaître le mot tout-fait, l'illusion vague, ou la similitude précise, abstraite, dévitalisée, sans mystère. Ces yeux-là croient voir un tableau ancien parce que, à la vue de la toile ou de sa reproduction, ils peuvent dire : La Vierge à la chaise, Raphaël, XVIe siècle, etc.

La réalité plastique, seule réalité de l'œuvre, reste cachée sous l'amas des illusions : femme, chaise, sourire, robe, etc. ; inconnue, non touchée, non vue, ni dans le détail, ni dans l'ensemble. Seul le côté illusoire du tableau fut perçu ; et encore parce que familier.

Devant un caillou vous dites : c'est un caillou rond ou anguleux ; et vous n'y pensez plus.

En face des tableaux de cette exposition vous serez sans idée. L'idée même d'un tableau vous sera interdite – ils ne correspondent ni à un paysage, ni à une nature morte ou à une scène quelconque de votre connaissance, pas même une abstraction régularisée – aussi dans la déroute de vos habitudes mentales, dans l'impossibilité d'établir tout contact visuel, vous aurez la pénible impression d'un malaise grave, d'une amputation douloureuse et inutile, d'une frustration.

Vous crierez au sacrilège, à la démence, à la sénilité précoce, à la fumisterie ; si moins honnête, plus rusé : au déjà vu et connu, à la fausse révolution de salon ; et d'autant plus fort que votre impuissance sensible sera évidente, en dépit de la clarté de la forme écrite.

Vous serez dans un état psychologique idéal à une critique vengeresse contre cet excès d'impudeur, de snobisme ; pour prêcher le retour à la terre, au bon sens, aux vertus chrétiennes. Votre ardeur sera d'autant plus tapageuse qu'involontaire et stérile.

Les violentes nécessités de la connaissance sensible poursuivront leur destin.

Vraiment ces peintures sont pour les enfants et les simples, et pour les « grandes personnes » de demain ; lorsqu'elles pourront y déceler les illusions, lorsqu'elles pourront nommer les similitudes qui s'y trouvent.

EN REGARD DU SURRÉALISME ACTUEL

Les surréalistes nous ont révélé l'importance morale de l'acte non préconçu.

Spontanément ils mirent l'accent sur les « hasards objectifs » primant sur la valeur rationnelle. Leurs intentions n'ont pas changé.

Cependant les jugements rendus, depuis quelques années, portent de plus en plus les marques de l'attention accordée aux intentions de l'auteur. Cette attention domine de beaucoup celle portée à la qualité « convulsive » des œuvres.

D'où répétitions d'erreurs inconnues à la phase empirique.

L'intention est nécessaire, non suffisante.

Impossibilité de reconnaître l'intention vivante, fatale, de la fausse : attitude adoptée, recherchée, calculée, intéressée.

La qualité convulsive ne peut être que la résultante d'une opération magique ; exprimant une imprévisible relation matérielle.

Le reste est relatif, intéressant et nécessaire, non suffisant.

Si à la vue de ce dessin, j'ai la certitude morale d'être devant un Mousseau, ce n'est certes pas pour telle ou telle intention de l'auteur. Cette intention m'est encore en grande partie inconnue ! Si j'ai la certitude d'être devant un Mousseau, c'est à cause d'une relation plastique non intentionnelle, fatale et constante à Mousseau que ma mémoire me rappelle comme une chose unique et propre à tous les objets qu'il façonne.

Si je reconnais telle aquarelle comme étant de Riopelle (exemples d'une des récentes expositions) ce n'est pas à cause des moyens employés, volumes, lumiè-res, mouvements, matières, couleurs (ces moyens ont peu changé depuis toujours) mais uniquement à cause d'une relation plastique propre et tout aussi involon-taire à Riopelle que la qualité de ses sens, de son esprit.

Là réside toute la puissance convulsive, transfor-mante.

C'est cette puissance qu'ont perdue les artistes les plus connus de notre époque dans l'exploitation consciente de leur personnalité.

Breton seul demeure incorruptible.

Paul-Émile BORDUAS

LES EXPOSITIONS ITINÉRANTES

Certes, les problèmes relevés par David Mawr sont loin d'être résolus!

L'artiste agit selon sa conscience; aussi, avant toutes choses, il faudrait, à mon sens, que les sociétés d'art puissent rendre fructueuses ces expositions ambulantes à travers le Dominion.

Incorporés par nos fibres les plus secrètes aux grands moribonds que sont les valeurs morales des civilisations actuelles, seule la lucidité pourra remplacer la foi perdue et redonner l'unité à chacune de nos manifestations collectives.

Ces expositions ont un rôle premier à remplir: celui d'informer un public donné. L'information n'est valable que si elle permet la communication, en quelque sorte, la transformation de ce public. Des constatations maintes fois répétées me permettent d'affirmer que la diversité des «familles spirituelles» incluses dans ces expositions est un obstacle infranchissable à une communion profitable. Le visiteur en revient dans un état de confusion accentuée. Les peintures qui auraient pu lui chuchoter un secret voient leurs tentatives couvertes par la discordance des toiles voisines. Les critiques réagissent aux mêmes conditions désastreuses ; comment alors escompter un mieux collectif de telles expositions, des articles de presse suivant de telles visites ? Si une toile, par hasard, est vendue, la transaction a un caractère de gratuité qui fait perdre l'espoir d'un support permanent qu'elle aurait eu dans de meilleures conditions.

Quelles sont les conditions indispensables à l'information fructueuse ? Mes convictions remontent à l'expérience suivante. En 1942, après la série des gouaches automatiques que je faisais voir volontiers aux amis, je dus constater le même comportement, de l'Européen le mieux formé au Canadien le plus ignorant, seule une différence de tempo se signalait. Du début à la quatrième ou cinquième gouache mes amis regardent sans voir, sans possibilité de communier à la moindre réalité plastique. Cette possibilité n'apparaissait qu'entre la cinquième et la dixième œuvre, selon le spectateur et pour tous, la communion devenait plus vibrante jusqu'à la fin. Ne peignant que par vagues successives, à chacune des séries nouvelles, depuis 1942, les mêmes constatations se sont imposées.

Si pour goûter les œuvres récentes d'un ami, il faut la répétition de cinq à dix œuvres-sœurs – bien assis dans le calme et la pénombre du divan de l'atelier, l'œil sollicité que par un seul tableau – qu'advient-il d'un de ces tableaux perdu dans les expositions encore disparates montrées en des lieux ignorant presque tout de nos plus modestes désirs ?

Que nos sociétés d'art se donnent la main ; qu'elles groupent (pour fin d'expositions) les artistes par « familles spirituelles », ces familles sont nombreuses au pays – du primitif à l'hermétique – et, qu'à tour de rôle ou selon des besoins plus impérieux l'on fasse circuler ces expositions ainsi homogénéisées, davantage assimilables où le spectateur aura des chances, par la diversité des formes d'un caractère dépendant commun à toutes les œuvres exposées, d'acquérir et d'incorporer des connaissances nouvelles aux données historiques qu'il pourra déjà posséder. Les artistes feront le reste de gaîté de cœur.

Les progrès pécuniaires suivront l'ordre, et l'ordre passionné ne viendra que du discernement.

COMMUNICATION INTIME
À MES CHERS AMIS

Face à la tragédie croissante d'une confusion involontaire apparue au sein de mes affections les plus pures, tragédie marquant la vitalité de ce noyau, je tente l'impossible lumière quitte à m'enfoncer davantage dans la nuit.

L'œuvre poétique a une portée sociale profonde, mais combien lente, puisqu'elle doit être assimilée par une quantité indéterminée d'hommes et de femmes à qui aucune puissance, autre que le dynamisme de l'œuvre, puisse l'imposer.

S'autoriser de cette certitude, que l'art est doué d'un pouvoir transformant, pour faire de l'action politique serait une erreur de tremplin. L'action politique saine ne peut s'entreprendre qu'au milieu de cette activité : milieu déterminant les relations accordées aux nécessités présentes. Toute pensée trop évoluée pour un groupe d'hommes donnés, assez nombreux et suffisamment apparentés pour commencer avec l'espoir de la réussite l'action politique, est inutilisable. Cette pensée leur apparaît rigoureusement arbitraire, de serre-chaude, et leur est aussi nuisible que les vieux concepts à tout jamais sans espoir pour eux et pour nous. Le moment de cette pensée est encore loin d'eux : ils ne sauraient le désirer.

Transporter une émotion procurée par un état sur l'objet de cet état est un transfert habituellement inconscient et habituellement aussi sans conséquences graves. Si, toutefois, l'inconscience persiste et s'accompagne d'un dynamisme émotif suffisant, amour ou haine, elle conduit au désastre des victimes de cet état non à la disparition de l'état exécrable.

Sous prétexte de vouloir détruire un malentendu, imposer à qui que ce soit notre opinion de nous-mêmes ou de nos œuvres, de nos amis ou de leurs œuvres, autrement que par le don de soi ou de nos œuvres serait une erreur profonde d'objet, non de tactique. L'amour exige la reconnaissance d'une réalité au moins équivalente à la nôtre : à ce degré ne serait-ce pas l'amitié ? L'amour exige plutôt la reconnaissance d'une réalité ressentie comme supérieure à la nôtre à qui nous désirons cependant nous additionner dans l'espoir insensé d'une amplification totale. C'est en ce sens que nous sommes responsables du malheur de nos frères que nous n'aimons jamais assez. La haine, autre face de la même puissance affective que l'amour, est la projection de nos propres dégoûts sur autrui. Un jugement établi à la suite d'une telle projection destructrice de l'unité d'autrui peut susciter des actes d'une beauté tragique comme le meurtre – cas individuel isolé – conduit à Torquemada et aux tortionnaires contemporains dans l'erreur collective. Puissent, les hommes, abandonner bientôt la large voie publique de la haine orgueilleuse : la quitter avant d'entrer dans la désespérante expérience qui cependant apparaît, encore une fois, inéluctable.

Il n'y a que les éléments morts que nous pouvons et devons chasser violemment de nous-mêmes et aider ainsi positivement nos semblables. De ces éléments il en meurt en nous tous les jours… Impossible de chasser directement, sans l'arbitraire, nos éléments moribonds! Alors, comment espérer les détruire directement chez autrui?

Ne quittons que le moins possible l'essentiel : amplification de chacun de nous sur le plan cosmique – accord de plus en plus intime avec les hommes, nos frères qui peuvent avoir besoin de nous, et aussi avec la matière mystérieusement animée de l'univers.

Les distractions politiques ne peuvent être que d'une courte durée et sans importance capitale de l'endroit où nous sommes, si captivantes qu'elles apparaissent encore : ce sont des conséquences inévitables, non des buts. L'action sociale, elle, doit se faire d'homme à homme et dans le don total du plus éclairé : celui-là doit comprendre entièrement celui qu'il aide. Ce n'est qu'ainsi d'ailleurs que l'action sociale saura susciter des occasions propices à l'évolution plus générale d'autrui.

La guerre doit se poursuivre sur le plan le plus haut, en plein mystère objectif, au centre brûlant de ce foyer; dans l'amour le plus puissant dont nous disposions, dans la certitude de la victoire éternellement renouvelable et retardée de l'homme en marche sur l'homme qui s'arrête, de l'homme ouvert sur celui qui se ferme, du plus aimant, du plus lumineux.

BORDUAS
Saint-Hilaire, le 1ᵉʳ avril 1950

En guise d'introduction écrite en post-scriptum
Dimanche, j'ai promis d'envoyer aux amis le texte tapé dans le désarroi de la matinée, repris dans la sérénité du lendemain et poursuivi toute la semaine.

Naturellement, je déplore les redites des pages précédentes et m'en excuse. J'y décèle aussi un germe de classification utilitaire des hommes d'après leur degré d'évolution. Degré reconnaissable par la forme des concepts permettant ou interdisant la communication à la foule des êtres. Ce qui m'entraîne à poursuivre ma pensée.

Toutes les communications d'un homme à un autre homme sont entachées d'intérêt immédiat plus ou moins justifiable, passionnant ou condamnable. Et, il est bien entendu entre nous, depuis longtemps, que le don le plus précieux, le plus urgent, qu'un homme puisse faire à ses semblables ne peut s'opérer que dans l'oubli même de ses semblables : communion profonde d'un seul être avec le reste de l'univers, poussé par une nécessité intérieure à exprimer spontanément, dans un objet quelconque (occasion de la communion) une relation fatalement neuve avec le cosmos. Quelle que soit l'évolution de la pensée, du sens critique ; quelle que soit la forme de l'objet ainsi créé, la valeur morale ne saurait s'établir que par la générosité de la communion, non par les conséquences découlant de l'apparition de cet objet dans un monde donné, ni des jugements qu'on pourrait faire après coup !

Tout le reste en regard de cette communion est de la tripotée pour les chiens enragés que nous sommes : y compris notre action directe dans la société.

Toute action publique, individuelle ou collective, de la petite exposition solo à la grande machine, est entachée, en plus, d'opportunité par définition. Reste que cette tripotée, comme la croûte à casser, est un aliment que personne ne peut se vanter d'éviter ! Reste, aussi, que les occasions d'en manger sont trop nombreuses pour tout absorber. Le mieux que j'aie pu faire fut de subir celles qui m'apparaissaient comme immédiatement liées aux exigences créatrices, sans me préoccuper, outre mesure, des risques ou des espoirs de ces occasions.

Les grandes questions se posent ainsi :
Jusqu'où peut aller l'opportunité ?
Jusqu'où peut nous entraîner la fièvre
    de la bataille ?
Jusqu'où peuvent aller les transferts ?

Évidemment, c'est encore affaire de conscience individuelle accordée aux possibilités de l'Histoire. Mais, lorsqu'il s'agit de l'action d'une collectivité minime, comment accorder aussi, entre elles, des consciences extrêmement diverses non entraînées par un mouvement de masse, et cependant se reconnaissant une parenté certaine ? Évidemment, évidemment, il faut s'oublier dans cette commune parenté, mais ce n'est pas suffisant ! Il faut en plus l'évidence, pour chacun de ceux qui y participent, que l'action porte non sur la destruction d'un objet, quel qu'il fût, mais sur la destruction d'un état exécrable et nuisible et prouve un état supérieur de liberté déjà rejoint.

Ensuite, ne confondons pas nos espoirs, parfaitement sains dans leur extravagance même, aux résultats.

Mes chers amis, pardonnez-moi ce long tâtonnement pour aboutir à ce maigre profit ! Je me devais cependant, à moi-même, de l'obtenir. Puisse-t-il vous être de quelque utilité.

En toute amitié,

* *
*

Ce n'est pas encore tout à fait ça !
Un jour dans un moment important Riopelle m'accuse, à Claude, avec une intention injurieuse, d'être : « Un peu paternel. »

C'était parfaitement juste, sauf qu'à la place de « un peu » j'aurais préféré un « beaucoup ». Si j'ai eu une influence heureuse sur l'évolution de quelques jeunes ce fut uniquement à cause de ce sentiment.

Mon influence fut toujours nulle sur les amis de mon âge ; j'ai dû rompre avec la plupart ; je n'ai pu conserver mon affection qu'aux plus jeunes et qu'aux plus vieux ; sûrement parce que ces écarts d'âge permettaient une dose suffisante d'oubli de soi, de part et d'autre, pour favoriser une mutuelle amplification de la personnalité.

Ce sentiment de paternité je le reporte sur l'univers entier et sur tous ceux qui se prêtent à un mieux désirable dans une certaine voie. Je suis dans la nécessité de rompre avec tous ceux qui refusent ce mieux : rompre signifie ici suppression totale en moi-même de ces personnes. Aucun contact ne peut plus exister après la rupture, même pas les liens de la bataille. La bataille n'est concevable qu'au sein de la famille pour la conquête du plus haut point désiré de tous pour chacun : tout ce qui vise l'extérieur est une flèche perdue, négative : Dada n'est possible qu'entre parents.

Exemple :

Magnifique la manifestation au Musée ! Magnifique parce que le courage moral exigé pour s'affubler d'un accoutrement grotesque recouvert d'insultes grossières dans une circonstance où le contraire était de rigueur, imposée par les conventions, demandait à chacun l'effort nécessaire pour chasser loin de lui des éléments morts mais encore présents en lui-même : pudeur sentimentale des mots, de l'élégance du costume, des bonnes manières imposées, non réinventées spontanément par chacun. Voilà de la vraie bataille en famille ! De la grande poésie collective ! Qu'il fût nécessaire que cette bataille se déroule devant la foule, n'y change rien ! Que Cosgrove et de Tonnancour fussent là, n'y change rien : ils étaient à mille lieues de vous et ne pouvaient comprendre, être modifiés. Que la foule vous ait secrètement conspués ou admirés, n'y change rien ! Que cette bataille vous ait ou non amené des adeptes, n'y change rien non plus : tout ça étant du domaine des conséquences extérieures qui ne changeront jamais rien à la valeur positive d'un acte libérateur parce que libérant celui-là qui le commet : il ne saurait être question d'autrui là-dedans.

Autre exemple de dadaïsme négatif, ne transformant plus ceux qui le commettent, mais s'efforçant de transformer l'extérieur :

Les maudits petits lampions du verre de cidre !

De la merde qui nous obligeait à revivre un instant, au moins le temps nécessaire pour en chasser l'odieuse présence, un passé révolu, dépassé pour chacun de nous.

Laissez faire ces actes-là à ceux qui en ont positivement besoin ! Vous n'en favoriserez l'éclosion, chez ceux-là, qu'en agissant positivement vous-mêmes. Tout retour en arrière, tout arrêt exploité est négatif, académique, freinant!

Maintenant il est bien possible que les auteurs des lampions aient eu besoin positivement de ce geste! Que je me sois trompé sur leur véritable degré d'évolution? Alors, ils seraient parfaitement quittes envers mon reproche. Je n'aurais que projeté sur eux le désagrément de me trouver devant mon propre défaut de jugement.

Je ne sais si ces bouts de papier nous aideront? Ne montrent-ils pas l'urgence de contacts plus fréquents, tout au moins, lorsqu'il s'agit d'une manifestation à caractère familial?

Peut-être que j'habite trop loin pour espérer encore longtemps une collaboration active qui suppose un accord suffisant. Voilà mon pauvre petit ulcère!?

La famille englobe, pour moi, tous ceux que je reconnais comme aînés, «Pères» qui ont tracé le chemin; tous ceux qui désirent suivre ce chemin; tous ceux qui y viennent, qui y demeurent d'une manière ou d'une autre.

Je poursuis une voie ouverte que je ne saurais fermer ni en avant ni en arrière.

La filiation englobant ma puissance d'amour part du fils qui se découvre chez ses pères, devient père à son tour et aime tous ses fils.

La fraternité c'est la chicane en vue de devenir père. Il n'y a pas d'entente longue entre frères: peut-être n'y a-t-il d'entente réelle entre frères que sur des objets très égoïstes? Cette chicane renforce le plus

puissant des frères au détriment du plus faible. Il y a
bien longtemps que j'ai éliminé, de mes actes, de mes
sentiments, toute préoccupation fratricide. Tant pis si
l'on s'est leurré sur mes sentiments ! C'est que j'ai toujours eu en horreur le faux père véritable frère – qui
abuse de sa force pour s'imposer. L'autorité du Père
n'est positive que si elle est manifestement employée à
mieux comprendre, à mieux s'oublier dans ses fils. Il
ne saurait entreprendre contre eux une lutte fratricide,
ni favoriser cette lutte entre eux.

La lutte contre qui que ce soit est fratricide.

Il ne saurait y avoir deux Pères : on est le fils et le
père de quelqu'un ou on ne l'est pas encore…

Le bonhomme vieillit ! Il vieillit toujours pour ses
fils. Il ne rajeunit que devant ses frères qu'il ne connaît
plus. Voilà la tragédie !…

P.-É.B.
Saint-Hilaire, 9 avril 1950

QUELQUES PENSÉES
SUR L'ŒUVRE D'AMOUR ET DE RÊVE
DE M. OZIAS LEDUC

C'est un inquiétant plaisir d'exprimer l'admiration que M. Leduc suscite toujours en moi : comme pourrait être l'hommage sans espoir offert à une lointaine étoile du soir mais dont la fine lumière légèrement se troublerait de cet hommage...

Les retours « aux Trente » dans le silencieux atelier adossé au mont Saint-Hilaire, après de telles occasions passées, amenaient M. Leduc à me dire des phrases comme celles-ci : « Est-ce bien utile ? Pourquoi parler des artistes dont la carrière n'est pas finie, et qui peut encore se modifier, quand il y a tant de grands morts que l'on ignore ?... » Ou : « Ayez bien soin de moi Paul-Émile » sur le ton d'un fin reproche. Chaque fois des fibres secrètes de son âme furent froissées. Lesquelles ? En vain ai-je tenté de le savoir. Ça me chavire ; mais qu'y puis-je ?

L'œuvre et la personnalité de M. Leduc mériteraient, certes, plus de circonspection, de justice et de clarté. Vouloir circonscrire l'influence qu'il eut sur moi depuis plus de trente ans de fidèle amitié m'amène à considérer le champ psychique où évolue l'activité de Leduc comme le lieu d'élection du sentiment :

sentiment débordant de toute part les minces couches de la conscience.

Au moment de ma rencontre avec Leduc il était en pleine maîtrise ; occupé, sans doute par les circonstances des commandes, aux travaux d'iconographie, de liturgie et du symbolisme chrétien. C'était quelque temps avant son séjour prolongé à Sherbrooke. J'étais dans une phase de douloureuse inquiétude sur l'avenir. Quelques dessins et aquarelles furent l'occasion de cette rencontre. Mais, déjà je connaissais sa peinture par cette petite église de Saint-Hilaire qu'il a généreusement décorée et qui court présentement le danger d'être sabotée par de maladroites réparations. De ma naissance à l'âge d'une quinzaine d'années, ce furent les seuls tableaux qu'il me fût donné de voir. Vous ne sauriez croire combien je suis fier de cette unique source de poésie picturale à l'époque où les moindres impressions pénètrent au creux de nous-mêmes et orientent à notre insu les assises du sens critique. Comment trahir par la suite ces directives venant on ne sait plus d'où et que dans notre candeur on est près d'attribuer à la providence ? Ce sera étrange pour quelques-uns d'entendre que je sois resté fidèle à l'essentiel de ces premières impressions. J'en suis convaincu, toutes les admirations picturales subséquentes ont dû s'accorder avec elles : qu'on le croie ou non.

Dès mes premiers contacts avec Leduc, comme beaucoup d'autres, j'ai été séduit par sa simplicité, par son extrême retenue et davantage encore peut-être, par la vivacité – comme anguille sous roche – de son esprit. Très follement, des années longues, dans l'enthousiasme et l'ignorance j'ai tenté de le rejoindre dans sa trop belle peinture. Ombres chaudes, douces lumières craignant le plus petit écart. Ménagement infini d'un narcissisme sublimé dans l'ambiance chrétienne. Combien ai-je désiré embrasser cette beauté familière et cependant si lointaine. Pourtant elle ne s'opposait pas à tout ce qu'il ne fallait pas faire! Mon seul bagage moral d'alors.

Vint un moment où j'eus besoin de l'aide de M. Leduc pour sortir de cette École des beaux-arts où il m'avait fait entrer. Il refusa sans que je comprisse pourquoi. Tout en poursuivant, des années encore, l'espoir de le rattraper dans sa perfection, j'avais conscience, par ma déception, que cette douceur, cette séduction avait un revers. Un revers qui graduellement devint un pôle d'attraction irrésistible.

Je lui dois ce goût de la belle peinture avant même de l'avoir rencontré.

Je lui dois l'une des rares permissions de poursuivre mon destin. Lorsqu'il devint évident que je miserais sur des valeurs contraires à ses espoirs, aucune opposition, aucune résistance ne se fit sentir; sa précieuse et constante sympathie n'en fut pas altérée. Cela suffirait à isoler M. Leduc dans mon admirative reconnaissance, à le situer dans un monde plus parfait que celui de tous les jours.

Je lui dois, on n'en finit jamais de l'acquérir tout à fait, le goût du travail soigné si à Breton revient celui du risque qui ne me quittera plus. Pourtant le risque est grand chez Leduc, mais il est caché dans l'apparente pondération qui le rend difficile à voir et peut-être, sans Breton, ne l'aurais-je découvert qu'à demi.

Je lui dois enfin de m'avoir permis de passer de l'atmosphère spirituelle et picturale de la Renaissance au pouvoir du rêve qui débouche sur l'avenir.

Toute la vie de Leduc ruisselle de cette magie du rêve. Je le vois façonnant un judas irrémédiablement aveugle appliqué directement à l'intérieur du panneau plein de la porte d'entrée de son atelier; bouchant à la pointe d'un crayon dans la voûte d'une chapelle, à vingt-cinq pieds de hauteur, les minuscules trous blancs laissés dans le plâtre par de fines épingles ayant retenu des pochoirs; remplissant d'un doux labeur, des années durant, les plus petits tableaux.

L'exemple de ce courage, de cette antique sagesse de tout construire avec patience, indéfiniment, inutilement dirais-je, dans la seule exigence de la perfection – qui oublie tout ce qui n'est pas sa propre satisfaction – et pour ne pas fausser le rythme de ce rêve éveillé de n'utiliser que les matériaux qui tombent sous la main, les plus simples. Exemple d'une des limites de l'amour; l'on peut toujours sourire, une telle aptitude est la preuve touchante qu'en dernière analyse les buts proposés ne comptent plus beaucoup, que c'est la qualité de l'amour déployé en cours de route qui donne à la vie son sens humain. Tant pis, si, encore une fois, l'amour s'oppose au sens pratique! Il reste assez de grossièreté sur la terre pour sauvegarder l'équilibre de la force brutale.

À n'en pas douter l'œuvre de Leduc évolue dans l'amour et le rêve; à l'une de leurs extrémités du pouvoir de transfiguration: au terme de l'illusion visuelle, dans la douce tragédie d'un amour replié sur lui-même dans la paix d'un beau soir d'été.

Ses tableaux, comme le maître, sont images de paix; d'une matière onctueuse et légère; d'une plénitude heureuse, vénitienne, de la forme qui est donnée, comme par surcroît, à la suite d'un long travail apparemment destructeur; d'une délicatesse poussée jusqu'au vertige des tons : le moindre éclat aux environs en voile la présence. Tableaux difficiles à bien voir dans les conditions habituelles de nos musées; qui appellent un sanctuaire dédié à la douceur où il ferait bon se reposer des luttes nécessaires aux natures plus rudes que celle de leur auteur.

Sa pensée comme son œuvre est intime. Elle joue avec des idées familières, courantes, très simples, que sa malice et sa ruse vivifient. Étrange et charmante impression où le sentiment d'une exceptionnelle présence s'affirme, comme indirectement, dans le rejet des prérogatives de l'esprit de faire siens les jugements impersonnels qu'il utilise cependant et annule. Où la présence de cet esprit est d'autant plus évidente et rare qu'il met plus de soin à s'effacer. Le charme subtil, le grand pouvoir de séduction de Leduc viennent en partie de ce jeu.

Les plaisirs de sa conversation sont étoilés de petites merveilles d'imprévu. Me parlant un jour d'un de ses anciens aides : « Vous l'avez connu ?... Bien oui ! Il est mort..., le pauvre ! Il n'en avait pourtant pas l'habitude... »

Il n'est pas surprenant, une fois chez Leduc, que la notion du temps s'abolisse. Vous pouvez imaginer être aussi bien au seizième qu'au vingtième siècle. Vous veniez passer un quart d'heure avec lui, et, le quittant vous êtes surpris d'être deux heures en retard. Si le monde contenait un plus grand nombre de ces personnes-là, l'on n'aurait jamais eu l'idée du déterminisme historique. Leduc est le fruit mûr de ces trois siècles d'isolement en cette terre d'Amérique : fruit qui a mûri, on ne sait trop comment, au pied de sa montagne.

Leduc est le point culminant de la faculté de sentir. Par sa « fertilité d'âme » le frère lointain d'un Douanier Rousseau, d'un Facteur Cheval : mais un frère qui aurait craint de dérouter la raison. Ce n'est donc pas par cette apparente raison que sa peinture est grande ; elle l'est par sa vertigineuse délicatesse des tons qui est le miroir de son âme.

Ce vertige émotif en appelle un autre contraire : la conscience qui s'affirme délibérément ; le vertige du vouloir savoir à tout prix dans le risque total de l'automatisme : en pleine connaissance, en pleine responsabilité, en pleine violence des certitudes nécessaires à la lutte.

APRÈS TANT DE SIÈCLES DE SILENCE

New York, le 18 juillet 1954

Mon cher Gilles,

Vous êtes très gentil mais peu serviable! Grand directeur, vous me tracez un beau programme à remplir sur M. Ozias Leduc et vous me dites bonjour. L'amorce d'une bonne discussion n'eût-elle pas été préférable? Sans votre présence, je risque, encore une fois, la noyade dans les flots admiratifs! Bon, appréhendons quand même quelques aspects de votre question: « En quoi Leduc vous semble-t-il canadien? »

Étrange, je n'y ai jamais pensé. Au début de ma curiosité pour l'art, la critique du temps faisait voir une peinture canadienne selon son cœur et son jugement. Inutile d'ajouter que je ne retrouvais aucune résonance profonde là-dedans. Seul un petit coin de la tête répondait. Pourtant, au fond, il était permis de me croire canadien aussi, il me semble! Il devait donc y avoir plusieurs façons d'être canadien? S'il y avait plusieurs façons de l'être, la meilleure me parut encore de l'être sans y penser. Je n'y pensai plus: ni pour moi, ni pour les autres. La question importante était ailleurs. Et les années passèrent… Beaucoup plus tard j'eus la reconnaissance d'un sentiment « nord-américain » ; mais, Leduc n'en était pas, mais pas du tout ! Ce sentiment venait d'une certaine verdeur retrouvée dans la musique américaine et un peu partout dans les gestes : verdeur lyrique et virginale. Ce sentiment ne m'a pas quitté depuis. Leduc n'en était pas ; Morrice n'en était pas. Morrice ? Il ne semble pas canadien non plus. Il fait du sud, de Tahiti via la France.

Leduc est le plus doux des fruits d'Europe qui ait mûri en Canada. Fruit dont la fleur n'a conservé que les caractères généraux – sentimentaux, peut-être, comme un souvenir – de son lieu d'origine. Ce n'est pas particulièrement une fleur de France ; il s'y ajoute de l'Italie, de l'Allemagne et ce qui est gentil, un peu de l'Angleterre. Dans le Temps elle est sur le circuit Renaissance-Surréalisme. Mais, ce fruit n'a pu prendre forme précise, saveur particulière, qu'après une longue germination à Saint-Hilaire et après 1864. Constatation qui me rappelle ces grains de blé recueillis, après tant de siècles de silence, au creux des Pyramides et que l'on cultive maintenant, je ne sais plus où, au nord de l'Europe.

Alors, en quoi Leduc est-il canadien ? Il est canadien pour les raisons qu'il est ce doux fruit d'Europe qui a germé, fleuri et mûri au Canada. Il a ce sens canadien parce que sa nature est pleine de sens, c'est-à-dire de présence, de responsabilité, qu'il a assumé généreusement ; ne rendant compte qu'à lui-même ou à son Dieu : ce qui est exactement la même chose. Mon cher Gilles, relisez la fin de son poème « Assomption » :

Pour, en fin de route,
    Anéanti
    Voir ouverts, m'attendant, les bras de Dieu,

De mon Dieu,
Le Dieu de mon désir,
Le Dieu d'amour et de beauté
Et, en lui m'abîmer
À jamais!

et, dites-moi si « De mon Dieu » ne sous-entend pas clairement que son Dieu n'est pas celui des autres ?… Oui, le Dieu de Leduc est reconnu comme étant sien; est entièrement recréé; patiemment recréé comme tous les éléments de sa pensée. Leduc à lui seul est un monde complet, un monde sans fissure. Rien n'y est emprunté à aucun degré. Il a beaucoup lu, il a voyagé, mais il n'a conservé que ce qu'il a pu revivifier intégralement. Et, sans souci des inconvénients, il a accordé ses actes à ses profondes certitudes. Marie Bouchard m'apparaît de la même lignée; seul le degré de culture, de conscience, les différencie.

Leduc est l'esprit prenant conscience d'un rêve sans prendre conscience de ceux qui l'entourent ni du temps ni de l'endroit où il le vit autrement qu'en les introduisant dans ce rêve. Dans ce seul sens qu'il recrée tout son monde; qu'il revivifie le vieux sommeil canadien: le sommeil de l'esprit en Amérique. Guy Delahaye a aussi pris conscience d'un rêve. Il a eu l'occasion du réveil dans une forme si brutale qu'il ne pût l'accepter. Après une boutade magnifique il s'est retourné et a retrouvé en lui un rêve encore plus profond où l'attendait cette terrible et isolante sécurité catholique. Saint-Denys Garneau a vécu l'horreur d'un cauchemar à demi éveillé, à demi-distance entre l'heureuse certitude de son enfance, qu'il ne pouvait ni rejoindre ni quitter, et l'assurance critique, contemporaine, de son impossible poursuite.

Autant de natures exceptionnelles – et combien d'autres qui me viennent à la mémoire dans une vague tragique – qui ont vécu dans des milieux courants. Autant de réponses exactes à ces milieux. De réponses exactes ? C'est-à-dire poétiques ; c'est-à-dire généreuses ; c'est-à-dire spontanées ; c'est-à-dire infiniment au-delà de la puissance de volonté ; c'est-à-dire strictement accidentelles. Changez quoi que ce soit à l'un quelconque des facteurs déterminants de ces destins – depuis le plus heureux et inconscient, celui de Marie Bouchard, au plus malheureux et conscient, celui de Saint-Denys Garneau – et vous changerez la relation entière ; c'est-à-dire toutes les formes, c'est-à-dire tout l'esprit. Voilà, certes, des vies et des œuvres éminemment valables. Des réponses qui nous informent mieux et davantage sur la valeur de ces milieux que cent mille vies communes. En retire-t-on toute la lumière qu'il serait nécessaire ?

Voilà, il me semble, mon cher Gilles, où nous en étions quand j'ai quitté le pays. Tout le reste c'était de la politique... Mais les choses changent. Elles changent toujours un peu. J'ai bien l'impression que ces temps héroïques sont désormais révolus au Canada. Certes il est épatant qu'en Amérique l'on soit si ardent pour les aventures sportives. Nous sommes ainsi en pleine magie du mouvement et Dieu sait si les corps m'intéressent. Il est bon aussi de sentir un enthousiasme collectif quelque part ! Il suffirait pour que nous soyons dans le meilleur des mondes, tout simplement, que les âmes généreuses, mieux informées, puissent répandre leur douceur qui est grande autour d'œuvres vives, au lieu d'être dans la

PAUL-ÉMILE BORDUAS

continuelle nécessité de se replier sur elles-mêmes dans une morbidité peu propice à la vigueur d'un peuple. Il semble qu'un noyau assez nombreux, assez bien informé, existe déjà au Canada pour permettre les communications nécessaires au maintien des aventures spirituelles sur le plan social. Ça, c'est déjà énorme!

Vous n'êtes pas content? Vous auriez préféré un tour à « Correlieu » ? Comme vous avez raison! L'on ne voit bien que là certains cieux bleus ornés de cumulus rosés. C'est le seul endroit pour y rencontrer ce cher vieillard légendaire, d'une légende à peine naissante, se promenant sur cette merveilleuse colline de la plaine de Champlain dans un vêtement incroyable de poésie. Et peut-être aller avec lui à son enclos de pins si verts, en humer la fraîche odeur et goûter là, par terre, le sel de sa conversation; goûter là, la sereine éternité du présent en sa société.

Partout dans ce domaine nous retrouvons la même unité, la même harmonie touchante et imprévue. Dans les tableaux si intimes, si connus d'aspect et pourtant si imprévus de délicatesse exceptionnelle, si humbles d'aspect, tout près de la simple pauvreté et pourtant d'un luxe inouï dans leur dénuement, si solitaires et pourtant si joyeux dans leur solitude. Toujours et partout cette impression, cette certitude de jeunesse invincible dans cet aspect de ruines en perpétuelle édification.

Mon cher Gilles, il y aurait tant et tant de choses à dire… Il faut en prendre son parti: on n'en aura pas fini de sitôt avec tous les sens de cette œuvre.

Paul

OBJECTIVATION ULTIME OU DÉLIRANTE

La peinture non figurative, improprement dite abstraction-baroque, où se situe ce groupe de six toiles, évolue dans le champ ouvert plus particulièrement à l'attention par la psychanalyse et le surréalisme.

Dans ce champ psychique deux voies opposées poursuivent leur destin. L'une, figurative, essentiellement illusoire, à fort accent littéraire, qui ne vaut que par l'image délirante. On y trouve De Chirico, Dali, Brauner, Bacon, bientôt De Kooning, et tant d'autres dont la filiation préimpressionniste remonte à Jérôme Bosch. L'autre, non figurative, essentiellement matérialiste, qui ne vaut que par le langage plastique délirant, dont la tradition ne remonte qu'à Cézanne et où l'on trouve Mondrian et Pollock.

Cézanne, dans le désir de rejoindre la sensation de matérialité que l'univers lui procure, rompt avec l'illusion impressionniste et nous donne une réalité plastique délirante plus importante que l'occasionnel aspect du monde qui la provoque. Exemple : une pomme peinte par Cézanne n'est pas intéressante par l'interprétation de l'idée de pomme qu'elle garde encore, mais nous émeut par la sensation d'une présence réelle, d'un ordre plastique, indépendamment de l'image évoquée.

Mondrian mis sur la piste d'une profondeur idéale, sans doute par la découverte que les cubistes firent de la « ligne spatiale » toute en lumière de Cézanne, raréfie de plus en plus les éléments de la perspective aérienne et aboutit à une objectivation troublante de l'idée d'espace : sensation d'une profondeur infinie parce que inévaluable.

Pollock dans l'exaspération de ne pouvoir exprimer l'intensité d'un sentiment indéterminé, cette fois, par les voies admiratives de Picasso et autres, prend le risque magnifique de faire fi de ce qu'il peut aimer en peinture et donne libre cours à son ardente passion dynamique sans se soucier outre mesure des résultats. L'accident, qu'il multiplie à l'infini, se montre alors capable d'exprimer à la fois la réalité physique et la qualité psychique sans le support de l'image ou de la géométrie euclidienne. Exemple : le moindre accident dans une peinture de Pollock a la réalité et l'imprévu d'un grain de sable ou d'une montagne dans l'univers et nous livre en plus, sans que l'on sache comment, la qualité émotive de son auteur.

C'est à la suite de ces trois expériences capitales du langage plastique que se situe la peinture d'un groupe nombreux de jeunes peintres plus ou moins conscients de ces acquis récents.

Armée d'un moyen d'expression à la fois positif et délirant, le plus objectif, le plus direct et le plus complet de toute l'histoire, il serait étrange, qu'avec le temps, cette peinture ne finisse pas par nous rendre familiers les aspects troublants du processus d'assimilation, d'évolution du sens de la réalité, et ne nous livre pas quelques secrets de son pouvoir de séduction. Tout comme la peinture sut, par le passé, nous rendre familiers les aspects troublants ou séducteurs du monde extérieur.

Une société nouvelle s'offre au-delà des cadres des civilisations connues. Elle semble se diriger vers l'auto-fabrication-intégrale des objets utilitaires d'une part, et vers une connaissance de plus en plus réaliste des puissances psychiques par l'attentive psychanalyse d'autre part. Jusqu'où ira cette civilisation ? Seul le futur le dira. Mais, depuis longtemps déjà, pour quelques-uns, la grande aventure exige une réponse sans restriction à son appel.

Paul-Émile BORDUAS
New York, le 26 février 1955

PROPOS D'ATELIER

À Monsieur Noël Lajoie,

Il ne faut pas m'en vouloir, mon cher ami, de la déception probable de cette réponse. J'aurais été si heureux
de vous envoyer une lettre remplie de joyeuse assurance, de bonnes nouvelles, de piquantes indiscrétions
sur le compte des vedettes de la jeune – toujours jeune
– peinture de Paris et, surtout, la révélation d'une ou
de deux découvertes sensationnelles.

Pour cela il aurait fallu être un célèbre journaliste
ou un grand collectionneur devant qui toutes les portes s'ouvrent d'elles-mêmes. Mon aventure emprunte
des sentiers plus ténébreux, chemine infiniment plus
lentement. Elle s'incruste, épouse les humbles nécessités qu'il faut bien vaincre coûte que coûte n'ayant pas
le prestige suffisant aux grandes avenues du pouvoir.

Mais au fait, ne me demandiez-vous pas, plutôt
que ce brillant reportage hors de portée, de reprendre
les objets de nos conversations de Rus Park au milieu
de la foule légère jouant gracieusement dans le soleil,
le sable fin et le vent chaud de l'Atlantique ?

Il y avait dans l'air, dans les yeux, dans le cœur,
dans l'esprit, tant de sujets d'éblouissement que les plus

folles prétentions étaient de mise et ce fut merveille de ne pas avoir craint d'en abuser. La beauté détonante de ces corps nus des noirs bleu-noir incitait à la hardiesse. Le charme étrange, mystérieusement discret, de cette adolescente aux lignes de serpent, câlinant sa non moins belle maman, scandait les plus tendres associations. Vous vous souvenez de l'éclatante lumière qu'elles arrivaient à mettre dans ces midis flamboyants.

Nous avions la sensation d'être au cœur du monde : tout près de New York, à deux heures de vol de Montréal et si peu loin de Paris en face ! Tout semblait accessible et simple : les gestes les plus prestigieux, les significations les plus profondes, les certitudes les plus imprévues. Nous baignions dans une divine impersonnalité. Il eût été absurde de craindre pouvoir blesser qui que ce soit. Quant aux hasards des développements, un nom venait aux lèvres, il était déjà si puissamment magnifié qu'il entrait spontanément dans la gloire du présent. Du présent uni au passé, car nous savions très bien que tout venait de là-bas : cette vieille, si vieille, et chère Europe. Nous savions qu'il avait suffi, pour vivre ces moments d'enthousiasme et d'espoir en l'avenir, de libérer les formes d'inutiles contraintes et d'avoir éprouvé positivement cette pure idée d'« espace ». Nous savions qu'il avait suffi de consentir pleinement, sans restriction, largement aux séduisantes objectivités. Les nouveaux signes nés de la libération prenaient ainsi tout leur poids, offraient toutes les promesses d'une chasse aux grands gibiers, suivie d'un festin magnifique. Et, nous avions faim et soif.

En Amérique les joies de l'esprit sont pleines de sens. Ici, il semblerait que les douleurs du corps et de l'âme soient pleines d'esprit.

Comment reprendre ces conversations ?...

Au Canada l'hiver sait sourire, même rire, mais ici... L'hiver est une interminable fin-novembre... Les larges baies vitrées de l'atelier donnent sur un long mur de pierres fermant un beau jardin d'une maison de santé. Autant je recherchais le vertige des vagues l'été dernier, autant je crains le beau jardin d'en face. La nuit reprend ses droits parfois. Les angoisses du cœur cruellement accentuées par la distance, et il est mauvais que cette distance soit un océan, en profitent traîtreusement.

Après cinq longs mois qu'ai-je accompli ? À peu près rien ! Quoique ce ne soit pas l'avis des amis. Le temps ne s'apprécie plus à la même échelle. Il est beaucoup plus lent ou beaucoup plus rapide. Si vous recherchez les faciles provocations sensorielles, ou les griseries verbales, l'impression de vitesse peut devenir folle : Paris restant apparemment sans rival. Si vous recherchez l'intelligence des chefs-d'œuvre de l'histoire, le temps est aboli. Vous vivrez dix ans sans réaliser qu'il existe une actualité en dehors de vous perdu dans la multitude des associations permises tout autour de votre isolement. Mais pour qui vit au plus près du quotidien le temps bouge à peine. Il faut mûrir sur place, s'enraciner, prendre conscience dans la petite fuite des jours, cette longue patience.

Il est disgracieux d'abuser des faciles récriminations. Toutes les grandes villes sont blanches et noires. C'est quand même ce que j'ai fait abondamment en Canadien doublé d'un Américain pressé. Ce fut odieux : n'ignorant pas, bien sûr, que de si nombreux artistes étaient dans d'exécrables conditions de logement, de nourriture, sans les moyens d'acheter les matériaux indispensables au travail. J'arrivais en veinard et comme tout veinard en grossier personnage. Un éreintement, dont je relève à peine, a d'ailleurs suivi ces maudites et inutiles récriminations. Si l'on pouvait utiliser ce que l'on sait!

Des manifestations d'art de la cité, compte tenu de ma détestable attitude, celles qui m'ont le plus touché jusqu'à maintenant, m'étaient connues de New York où l'information est vraiment exemplaire. Tout le mouvement allant de l'expressionnisme de Germaine Richier au graphisme de Mathieu. Dans le champ de l'« espace » n'apparaît que le premier stade négatif des continuateurs de Mondrian à Soulages. Le charme de Soulages est encore la lumière. Comme dit un ami: « Ses petites fenêtres! » J'y vois, quant à moi, une dualité: le désir d'une construction simplifiée en nuit et jour – noir sur blanc – donc en espace mais annulé par une hésitation émotive, un manque de consentement profond qui l'incite à « meubler » en lumière. Ce manque de consentement compensé est la raison de son succès. C'est curieux comme nous sommes lâches les hommes! Tout en recherchant les joies nouvelles qui avivent le sens de la vie, nous nous accrochons désespérément au plus petit espoir d'une éternelle fixation qui en fait est déjà une mort partielle!

Mathieu remplit un rôle éblouissant. À la limite des genres il unit la danse, l'humour et la peinture en un acte théâtral. Rien n'est plus émouvant que ces grands jeux du désespoir. Vive ceux qui savent brûler!

En plus de ces gloires il y a naturellement toute la gamme croupissante des tendresses morbides qui se complaisent dans la honte de n'être qu'un homme désormais solitaire... Et une jeune génération qui monte et qui brûlera elle aussi de l'actualité de demain.

Quelles seront les conséquences de l'exemple drastique de l'école de New York dans tout cela ? Il est trop tôt pour savoir. Mais le moins que l'on puisse dire déjà est que des accords pleins de résonances s'opèrent. Jamais nos chères certitudes n'ont été plus fermes.

Le soleil revient avec le printemps tout proche et si joli à Paris. Bientôt le courage d'aller au-delà des soucis devrait poindre avec les premiers bourgeons des peupliers. Et, libéré encore une fois, l'impossible sera rejoint. Au moins !

Voilà, mon cher ami, où j'en suis. Si cette confession d'une aventure lourdement intérieure peut vous être utile, elle est à vous de tout cœur.

Paul-Émile BORDUAS
Paris, le 10 mars 1956

QUESTIONS ET RÉPONSES
(Réponses à une enquête de Jean-René Ostiguy)

1. Depuis combien d'années votre peinture affecte-t-elle une forme non figurative ?

À la première exposition du père Corbeil, à Joliette, en 1941 ou 1942, figuraient: «Harpe brune», abstraction préconçue à préoccupation géométrique et expressionniste. La dualité interne de cette toile m'a amené à la détruire un jour malgré son succès national de curiosité. Il n'en reste qu'une photo et quelques critiques favorables. Le deuxième tableau était une horrible tête se dressant verticalement sur un plan horizontal en pleine pâte pouvant suggérer une grève. J'ignore pourquoi j'intitulai cette toile «Le philosophe». Il n'en reste rien. Enfin, un troisième petit tableau, «Abstraction verte», daté de 1941, se tenait modestement mais fermement sur le mur. Des trois ce fut la seule toile à trouver grâce devant ma rage destructive. Il est le premier tableau entièrement non préconçu et l'un des signes avant-coureurs de la tempête automatiste qui monte déjà à l'horizon.

Je dois beaucoup à cette exposition de Joliette, la liberté d'y accrocher sans discussion les dernières toiles. Elle permit une prise de position, trop tragique sans doute, mais qui n'en a pas moins été le point de départ des libérations ultérieures.

2. Comment situez-vous votre travail dans l'évolution contemporaine en peinture?

Comment savoir? Nos désirs, nos espoirs nous permettent si peu de recul devant les œuvres récentes. Les jugements de l'extérieur ont plus de chances d'objectivité, et encore! Les gouaches de 1942, que nous croyions surréalistes, n'étaient que cubistes. Il a fallu cinq ans pour le voir. Toutes les huiles de 43 à 53 que l'on jugea excessivement «modernes» baignent dans une lumière et dans une foi antérieure au christianisme: similaire à l'art étrusque. Il a fallu émigrer à New York pour s'en rendre compte. Comment situer les toiles venues depuis? Devrais-je émigrer au Japon cette fois pour le réaliser? Que ces tableaux soient devenus de plus en plus blancs, de plus en plus «objectifs», ils n'en restent pas moins complexes, quand je vois tout autour de moi des œuvres au sens clair et précis, de l'expressionnisme au graphisme. Toujours les miens semblent faire une synthèse émotive d'éléments très nombreux. C'est ce besoin émotif qui masque tout. Ne sont gardés que les tableaux qui m'échappent. Si par hasard il en vient un au sens clair et facile il devient vite insupportable. Mon seul «jugement» valable en face de mon travail est le «vertige» d'une reconnaissance essentiellement émotive provoquée par la sensation d'une synthèse généreuse. C'est le mieux que je puisse dire.

3. Votre compréhension de l'histoire vous aide-t-elle à orienter ainsi votre peinture? Par exemple, de récentes découvertes dans le domaine de la science ou de la psychanalyse vous ouvrent-elles de nouveaux horizons?

L'art véritable n'est-il pas celui qui fait la somme des expériences de la vie sur tous les plans? Il n'est pas contradictoire d'aimer à la fois Bacon à la somme psychique si expressive et Mondrian à la somme rationnelle si révélatrice. L'un et l'autre orientent nos espoirs. L'un et l'autre sont l'occasion de nouvelles permissions. Ainsi, dans un degré approprié, chaque enthousiasme, de la psychanalyse à l'autofabrication, trouve son expression exacte dans une rigoureuse échelle de valeurs.

4. Dans l'histoire de l'art quelles sont les phases ou les artistes qui vous intéressent le plus et pourquoi?

Ici l'on peut s'étendre indéfiniment. Le rythme de nos préférences suivant vraisemblablement celui de nos possibilités de réception qui permettent le don en retour. Depuis longtemps déjà mes préférences vont aux époques archaïques n'ayant ni la mesure, ni la patience, ni la sécurité, ni la prétention classiques. Comme beaucoup de contemporains je suis lancé dans l'univers sans tremplin. Ceux que l'on m'a généreusement proposés s'étant avérés assez tôt incompatibles avec mon aventure. Nous n'avons plus un aspect de l'univers à amenuiser, mais tout un pan de l'univers à découvrir. En somme peu de choses me semblent indispensables au sentiment de communion et de continuité historique: quelques dessins des cavernes, quelques figurines béotiennes, la splendide peau de bison du Musée d'Ottawa, ou de Toronto, la

Pietà dite d'Avignon, la crucifixion de Grunewald, le clair-obscur de Rembrandt, la lumière de Cézanne et l'espace de Mondrian. Ajoutons, en contrepartie, la candeur de Rousseau, l'ingéniosité de Klee et le délire de Bacon. Tout ça c'est évidemment quelque chose, mais qui dénombrera ce que j'ai dû voir et goûter pour hisser ces noms et ces œuvres dans ma reconnaissante admiration ?

5. Croyez-vous que la non-figuration inaugure une forme nouvelle de l'art pictural où le tableau n'aurait plus rien à voir ni dans ses moyens, ni dans ses fins avec les apparences visibles du monde extérieur, pour recourir uniquement aux éléments premiers : lignes, formes, couleurs, dans le but d'exprimer le monde intérieur ?

Des lignes, des formes et des couleurs qui n'auraient pas de justifications profondes avec le monde extérieur seraient impuissantes à exprimer le psychisme.

Le premier Mondrian que j'ai vu (c'était à l'une des deux expositions des chefs-d'œuvre, au musée de Montréal, durant la dernière guerre) occupait un coin obscur de la grande salle réservée à la si mauvaise peinture hollandaise contemporaine. Ce fut un ravissement ! Et Dieu sait comment mal préparé j'étais à cette rencontre : en pleine lutte contre la tyrannie cubiste. J'ai reconnu spontanément la plus fine lumière que je n'avais encore jamais vue en peinture. Et « lumière » était dans le temps, pour moi, synonyme d'« espace ». Lumière, espace, sont des phénomènes visibles et extérieurs. Avant Mondrian, nous avions l'habitude du cheminement dans la lumière d'un dégradé à l'autre. Depuis Mondrian, nous gardons toujours notre faculté millénaire mais en plus nous pouvons, à l'occasion, goûter sans l'intermédiaire de la perspective aérienne la totalité imaginable de l'espace. C'était un fait visuel constant : seul le sens, l'appréhension, en est changé. Pollock libère son exaspération en utilisant les formes les plus dynamiques et les plus humbles qui soient : *the little drops*. Ces petites gouttes sont-elles oui ou non des phénomènes constants du monde visible et extérieur ? Avant Pollock elles étaient sans pouvoir expressif. Maintenant elles sont chargées de sens. C'est une nouvelle addition. Nous croyons tous posséder le monopole du visible et nous le croyons immuable. Chaque nouvel acquis de l'art provoque une perturbation dans notre équilibre qui pour être confortable doit être sans problème. La découverte est alors niée, ou déviée, inutilement : la tranquillité est perdue. Coûte que coûte il faut l'assimiler et retrouver un nouvel équilibre qui encore une fois sera ressenti immuable.

Non !... Depuis le début il y a l'homme dans un univers insondable. Où l'homme n'est qu'une des manifestations de cet univers. Comment cela peut-il être changé ?... Seule la somme de nos expériences change.

L'expression du « monde intérieur » n'a pas de sens si elle n'est pas, comme toujours, la plus exacte relation possible avec le visible. Dans ce visible infini nous choisissons les aspects les plus dignes d'intérêt, les plus frais ou les plus troublants. L'aventure de la conscience se poursuit sans déviation. L'on est ou l'on n'est pas de l'aventure.

Ce que l'on appelle l'art abstrait ou non figuratif est le successeur de l'art concret ou figuratif. L'art figuratif nous a conduits lentement, d'addition en addition, à un nouveau sens de la réalité. À un sens si aigu que nous exigeons des équivalences exactes : similitude des processus de la vie dont les fruits sont strictement accidentels, similitude de notre concept d'un espace illimité, similitude de la lumière qui n'est plus imitative mais tend à sa parfaite objectivité, similitude même de la matière qui ne peut plus être illusoire.

Ainsi faisant nous poursuivons, comme le sauvage dans sa caverne, les bêtes non encore apprivoisées, et comme il exprimait pour la première fois non seulement l'un des aspects visibles du monde mais inconsciemment son état psychique, nous exprimons pour la première fois non seulement l'un des aspects visibles du monde mais aussi notre état psychique. Les mêmes fins, les mêmes moyens, toujours. Seuls les aspects changent comme lorsqu'on tourne autour d'un objet complexe. Au train où va la conscience générale il est probable que l'art dit non figuratif poursuive sa marche victorieuse longtemps avant que l'on ne s'avise, en certain milieu, qu'il ne s'agissait que d'une figuration nouvelle ! Plus intime, certes ! plus immédiate, plus troublante parce que plus au cœur du réel. Cet objet qu'est l'univers serait-il spiral ? Des imitations nous sommes passés aux équivalences exactes. Nous jouons les étoiles !

6. Certains critiques d'art parlent d'avant-gardisme en peinture ; selon vous cette expression a-t-elle un sens, lequel ?

Il y a toujours eu des hommes pour chasser, à leurs risques et périls, la rare poésie et d'autres pour profiter confortablement des résultats de la chasse. Il y a toujours eu des hommes au dégoût facile, ainsi poussés à la recherche de nouvelles possessions, et d'autres moins difficiles. Que l'on nomme « avant-garde » cette équipe de la perpétuelle recherche et « pompiers » ceux qui pour mieux profiter des découvertes déjà anciennes tentent d'éteindre la fine flamme animant la petite équipe, c'est une question de vocabulaire où je n'ai aucune autorité. Personnellement, je déteste notre langage d'art qu'il serait bon de réviser complètement, mais que faire ? Ici on emploie, entre initiés, un langage vertigineux. Peut-être est-il encore plus détestable que le langage courant ? Qui sait ?...

7. *Vos recherches et celles de vos confrères canadiens vous paraissent-elles bien différentes de celles des peintres à tendance non figurative les plus réputés de l'Europe et des États-Unis ?*

On travaille sur les mêmes problèmes lucides à Tokyo, Montréal, New York ou Paris. Ce qui n'est pas encore élucidé ce sont les réponses partout différentes.

La recherche en art procède d'un clair concept, qui est l'ultime rationalisation d'une découverte antérieure déterminant un champ d'espoir, ou, d'une assimilation strictement émotive déterminant un champ de désespoir. Espoir, désespoir, semblant aussi dynamiques l'un que l'autre. Ce sont les deux pôles de la conscience universelle, les deux réactions positives aux vases communicants. Cézanne, Klee, Kandinsky, Mondrian, Pollock sont universellement connus et assimilés. Et d'un état psychique propre au lieu où le travail s'opère. Cet état psychique est l'inconscient du lieu. Qui connaîtra jamais l'ensemble de ses profondes ramifications?... C'est la réponse vitale bien au-delà des possibilités de captation immédiate de la raison. Où rien ne peut être dissimulé : pas même l'âge de l'agglomération. Cet état psychique détermine le choix spontané des matériaux utilisables en vue de la recherche à faire. Tokyo joue sur des notes minimums, Montréal utilise lourdement des maximums, New York procède par simplifications monumentales, Paris est toute subtilité, complexité, et il faut bien le dire, morbidité. Des réponses significatives naîtront les nouveaux champs d'espoir.

Sur ce plan les réponses canadiennes ne sont pas encore dans le cycle de la discussion mondiale.

Pourquoi?

L'intégrité de la jeune école du Canada est au moins égale à toute autre. Les problèmes dont l'on tente la solution sont aussi les mêmes, à peu de choses près. La recherche y est suffisamment collective pour affronter la confrontation mondiale. Pourquoi nos fières et ardentes réponses canadiennes, une fois sorties du pays, ne déclenchent-elles pas la discussion? Elles semblent, de l'extérieur, entachées de fixations inutiles. Les matériaux utilisés n'ont pas encore assez brûlé au feu de la lutte. Elles semblent lourdement chargées de sentimentalité. Elles ne sont vraiment valables que chez nous, ou, à l'extérieur, que pour les couches sociales non complètement évoluées.

Face à cette prise de conscience douloureuse que reste-t-il à faire? Lui tourner le dos et poursuivre la table rase de 43 en créant la plus parfaite étanchéité possible autour du mouvement et refaire à notre seul profit, au cours du temps, des expériences formelles depuis si longtemps révolues? Nous aurions ainsi un art original, la preuve en est faite par ces tableaux anachroniques, petits cousins inconscients d'un art étrusque, et par ceux d'un de mes amis qui, s'autorisant de la même attitude de 43, a produit des œuvres apparentées à l'art des Incas qu'il ignore, et par cet autre jeune Canadien à la série de tableaux juxtaposant inconsciemment en quantité égale un art africain et indien. Ces trois faits, pour ne mentionner que ceux-là, sont sans exemple connu dans le monde. Ils mériteraient une étude approfondie. Ils sont certes des réponses imprévues aux préoccupations de l'art contemporain, mais des réponses inutilisables hors de chez nous. Si je les crois typiquement canadiennes, malgré leurs lointaines accordailles, c'est d'abord qu'elles ne se sont produites que chez nous, ensuite elles ont le même archaïsme, la même inconscience plastique, la même lumière antérieure au clair-obscur, la même foi barbare sans apparente justification. Nous comprenons théoriquement les problèmes contemporains, mais nos sens et notre esprit, non complètement affinés, communiquent aux aspects les plus primaires du monde physique. C'est le juste prix de nos escamotages passés, sans doute, de notre sommeil spirituel volontaire. C'est l'art d'une âme fruste qui vient à peine de renaître. Poursuivre l'aventure sous cet angle-là semble égoïste, d'ailleurs c'est déjà impossible au moins pour ceux qui en ont pris conscience. Il y a cependant une autre solution, celle d'accepter la cruelle, mais fructueuse prise de conscience, de l'accepter généreusement et de flamber davantage. Aucun archaïsme ne peut longtemps résister à une extrême exigence. Nos symboles, qui sont l'expression spontanée de notre contact

avec l'univers, se clarifieront d'eux-mêmes et résonne-
ront aux plus fines vibrations actuelles.

Paul-Émile BORDUAS
Paris, le 10 avril 1956

APPROXIMATIONS

Il serait souhaitable, Monsieur, que l'on cesse de flatter la vanité des peintres en leur posant des questions. Ils prennent tant de plaisir à répondre qu'ils risquent bientôt de ne plus peindre. Bon! Allons, pour une fois encore.

Si le manifeste *Refus global* a exercé une influence sur la pensée au Canada, cette influence devrait être visible dans la modification du sens critique en général et par une nouvelle orientation du mouvement de l'art en particulier. À d'autres les réponses. Voilà une question d'éliminée.

Comment puis-je assurer que l'informel, le tachisme, le plasticisme, se situent dans la filiation de l'automatisme? Ne faudrait-il pas un fameux toupet, ayant quelques titres à la paternité, pour s'en prévaloir publiquement? Cependant, plus humblement, je sais qu'au Canada l'automatisme est antérieur à ces différentes facettes d'une même liberté initiale. La revendication énergique de cette liberté dans *Refus global* a été, sans doute, une large permission, même pour des recherches contraires à certaines attitudes du manifeste.

Si je tiens pour universelle la portée de *Refus global*? Non! La peste, les guerres mondiales, notre vertigineuse mécanique ont cette portée : le sort de tous les peuples en dépend plus ou moins. Au fait, qu'entendez-vous par universelle ? On en parle beaucoup au pays, il me semble. La matière (et les lois qui la régissent) est universelle. Qu'elle soit animée ou non. L'esprit, qualité pensante de la matière, l'est également bien sûr. Pour la portée de l'esprit c'est éminemment un autre problème. Dieu sait combien lentement ses manifestations se généralisent ; et encore : en perdant toute valeur poétique. Malgré les éléments spirituels de *Refus global* sa portée mondiale est nulle en dépit d'échos français, anglais, japonais et américains. Les réponses étrangères ont situé spontanément ce texte dans la lignée surréaliste, alors en pleine actualité, sans en voir l'aspect divergent. La critique canadienne n'a pas été plus lucide, au contraire. Les contacts en sont restés là. Par la suite, d'un peu partout, monta une vague similaire, heureusement cette fois, dégagée du surréalisme. Cette vague a une portée universelle. Le mérite en revient particulièrement à New York : sans rien nous devoir évidemment. Restent les cheminements invisibles aux conséquences imprévisibles dont personne ne puisse parler ; mais dont les communications les plus étranges nous parviennent de temps à autre.

Les raisons débordant, j'ai écrit – et signé – dans le temps *Refus global* sans trop savoir pourquoi. Peut-être uniquement parce qu'il était nécessaire à mon équilibre intérieur, dans sa relation avec l'univers, exigeant une correction aux formes inacceptables d'un monde imposé arbitrairement. Aujourd'hui, sans répudier aucune valeur essentielle, toujours valable, de ce texte, je le situerais dans une toute autre atmosphère :

plus impersonnelle, moins naïve, et je le crains, plus cruelle encore à respirer. J'avais foi, en cette tendre jeunesse, en l'évolution morale et spirituelle des foules. Un voyage en Sicile, entre autres, aurait suffi à lui seul à me guérir de cette détestable sentimentalité d'esclave. Certes, je brûle d'amour, à ma limite, pour la Terre entière et ses habitants. Mais, je n'ai foi qu'en peu d'hommes. Plus urgente apparaît la reconnaissance dans la foule des âmes ardentes susceptibles de transformer profondément l'aventure humaine que de se lier aux quantités sans espoir.

Puissent, monsieur, vous servir ces quelques approximations.

PETITE PIERRE ANGULAIRE POSÉE
DANS LA TOURBE DE MES VIEUX PRÉJUGÉS

À mon cher Claude, en ces mois de novembre-décembre 1958.

J'aimerais être aussi en forme que vous l'étiez en écrivant votre dernière lettre. Si franche, claire et puissante, qu'elle semble écrite du sommet de notre « Pain-de-Sucre » qui ne craint ni le vent, ni les tempêtes. Loin de ces hauteurs je barbote : dépression, trouble respiratoire, pas de soleil dans le ciel ni dans la tête, pas de peinture. Je me laisse soigner gentiment sans grand résultat. Le temps passe. La lumière reviendra, un jour ou l'autre, avec sa joie de vivre. Familières et banales ces perturbations diverses suivent hélas un cycle trop connu. Un peu de pêche, un peu d'amour et de chasse dans mon clair pays seraient le traitement indiqué, mais somptuaire ! Plus modestement (et inlassable) je vous écris depuis des semaines ma longue lettre sans en trouver l'expression juste. Aussitôt formulées, malicieuses, les pensées prennent une tournure inquiétante, une excessive généralisation où elles s'égarent. Je désirais vous rendre compte du chemin parcouru, de Saint-Hilaire à Paris, et vous n'aurez, je crains, que les rares certitudes fondamentales accrochées en cours de route. Aucun fait nouveau dans tout ça. Rien dont nous n'ayons parlé à maintes occasions. Seule la conséquence prise à la longue est nouvelle. Valent-ils la peine (ces faits anciens) d'en reparler ? C'est douteux. Peu sage je poursuis quand même mon épître. Excusezmoi. Vous méritiez mieux, mon cher Claude, que ce traitement.

En ces parages il est de bon ton de médire de Montréal et de New York, de les calomnier même sans vergogne. Mauvaises paroles – souvent des bons mots – qui m'irritent de jour en jour davantage quoique je les sache inconséquentes: « Ce qui doit être sera ! » Je ne suis pas, non plus, sans réserve, comme vous savez, envers mon pays et les États-Unis. Malgré tout, la seule foi que je puisse conserver en l'homme se situe en terre d'Amérique. Et, cette foi devient chatouilleuse. Voyezvous ça ? Il ne fallait pas jurer de rien !

Au Québec nous vivons – particulièrement au niveau des intellectuels: uniquement à ce niveau peutêtre ? – les deux termes de Canadien et de Français. Ici, après un stage suffisamment long il faut choisir l'un des deux; au besoin trahir l'autre. Notre défectueuse évaluation historique de nous-mêmes, de la France, devrait être corrigée de telle sorte qu'en venant ici l'on ne se croit plus sottement Français. Le leurre d'une abusive actualisation de notre passé n'est viable qu'au pays. Ici cela semble ridicule. Certes des compatriotes habitant la France deviendront Français avec le temps (et la bonne volonté qu'ils y mettent !). Mais n'est-ce pas une autre histoire ?

À New York (dans un milieu canadien – d'expression anglaise – où je fus reçu une fois) j'ai eu la surprise

de reconnaître une certaine unité psychique canadienne en découvrant «mes chers ennemis héréditai-
res» aussi semblables à moi-même que possible. J'en
fus littéralement bouleversé. Surprise désagréable
tranchant dans le vif de mon sentiment de «Canadien»
comme nous disons, réservant injustement ce qualifi-
catif à notre «supériorité française». Coûte que coûte
il fallait encaisser le fait de ce jugement ou le jugement
de ce fait : comme vous voudrez.

À l'étranger un Canadien de bonne souche – entendre assez ancienne – d'où qu'il vienne, se reconnaît
immédiatement, sans méprise possible, au-delà ou
en deçà des particularités d'origines au même degré
d'évidence qu'un Espagnol, un Italien ou un Français.
C'est énorme. Je l'ignorais candidement. Nous avons
conscience au Canada de l'unité géographique, écono-
mique, politique ; non de cette unité psychique. Sans
doute doit-elle rester inconsciente, masquée qu'elle
est, pour la foule, par les orgueils raciaux, culturels,
linguistiques, religieux ; par les attachements sentimentaux au passé français ou anglais, par l'opposition de
vainqueur à vaincu, encore ! par nos luttes politiques.
Soit ! Reste que nos luttes, notre climat et tout ce
que l'on voudra nous ont rendus assez semblables, en
somme, les uns les autres, si peu aimable que l'idée
en soit. Sur notre unité éthique se fonde le premier
article de ma foi en l'avenir. Sa découverte exigeant
l'éloignement aurait suffi à justifier mon départ du
pays. L'espoir maintenant est qu'un nombre accru
atteigne à une conscience profonde du présent. Des
accords imprévisibles sont attendus. Tant que les plus
doués n'iront pas au-delà de certains préjugés nous ne
serons intéressants qu'entre nous.

Il fut une autre découverte : celle de la peinture de New York et par elle de l'aventure américaine. Mon ignorance crasse des États-Unis (malgré quelques voyages antérieurs à mon séjour prolongé) était impardonnable. Une équipe nombreuse de peintres exceptionnels a donné au Monde les deux éléments indispensables à l'élaboration d'un futur prestigieux : la libération de l'accident « objectif » impersonnel (contrairement à l'accident psychique « personnel » de Wols) et un nouveau concept de l'espace. Pour une fois, de toute l'histoire de l'art, l'appréhension méditerranéenne (visuelle) du Monde éclate. Et pour une fois tout signe peut rejoindre ses inconnues. Quelle aventure et combien débordante ! Un vertigineux début de synthèse (des races d'abord – des éléments de tous les peuples de la Terre réunis en Amérique épousent spontanément un même enthousiasme – de la connaissance ensuite – de toute l'expérience historique –) s'élabore dans une étendue vierge à l'échelle cosmique laissant infiniment loin en arrière les exemples du passé. Comment, devant ces réalisations, attacher encore de l'importance à nos petites misères entachées d'archaïsme quand en plus, tragiquement, nous poursuivons le même destin ? Et voilà le deuxième article de ma foi : l'Amérique du Nord poussera suffisamment la synthèse universelle pour rayonner sur la Terre entière où nous n'existerons pas ; ni elle, ni nous. C'est l'enjeu capital de l'Histoire.

Il n'y a plus d'avenir français possible nulle part au Monde. Il y aura un avenir américain ou russe. Pour moi les jeux sont faits.

Ambitieusement je souhaite, mon cher Claude, que cette lettre ne provoque pas l'ennui qu'elle me donne. J'ai trop rabâché ces choses pour en éprouver maintenant la moindre fraîcheur. Je me devais de vous les exprimer encore une fois ayant le sentiment, grâce à vos textes, d'être plus près de votre pensée que vous de la mienne. Ne voyez surtout pas dans mon attitude critique le moindre reproche. Elle n'est valable que pour moi-même. Qu'elle soit généralisable, je le crois, mais pour les cas, aux circonstances particulières, semblables au mien. Je reste sans conseil.

Quelques lignes encore et je termine. Le surréalisme, l'automatisme ont pour moi un sens historique précis. J'en suis maintenant très loin. Ils furent des étapes que j'ai dû franchir. *En expectation* qualifierait mieux l'état présent, où le fruit attendu compte plus que le mouvement qui le produit : restant d'ailleurs toujours le signe-témoin de ce mouvement.

J'attends les textes annoncés avec impatience. Vous savez toute l'importance que j'y attache et l'affection que je vous porte.

Vôtre de tout cœur,
Paul

APPENDICES

JE N'AI AUCUNE IDÉE PRÉCONÇUE

I-Borduas

Idée préconçue
Autrefois, la discipline s'appuyait sur le monde extérieur ; aujourd'hui, sur le monde intérieur.

N'avoir aucune idée préconçue, c'est pour mieux
travailler dans le mystère, dans l'inconnu ; le mystère,
c'est une chose qui n'a pas été exprimée dans un langage : par exemple, avant qu'on sache faire fuir les
objets dans l'espace du tableau, cet espace à deux
dimensions, cette science qui deviendra celle de la
perspective travaillait dans le mystère, dans l'inconnu ;
ou exprimait dans un langage une chose dont on ne
savait pas exactement le point d'aboutissement. Exprimer des choses qui n'ont pas été encore révélées est le
fait d'une discipline intellectuelle.

Il y a, pour l'artiste surréaliste, une nécessité de
commencer son œuvre sans idée préconçue afin qu'il
puisse exprimer des « souvenirs » assimilés, le monde
extérieur assimilé, incorporé à lui-même et pour chasser tout ce qui est en surface (ces connaissances trop
récentes) et pour que remontent du tréfonds de l'être
moral, à l'appel qui les sollicite, des objets qui n'ont

plus de formes parentes aux choses extérieures, mais celles tellement devenues individuelles, particulières à l'artiste en question, des objets en un mot, aussi transformés qu'une bouchée de pain l'est à son être physique. Ce que le peintre fait devrait exprimer le rythme de son être et rien qui ne lui soit étranger.

Le chant

Pourvu que l'artiste travaille sur une chose qui n'a pas été refaite, et pourvu que la discipline intellectuelle, par la difficulté même de l'épreuve, devienne instinctive, cela devrait être suffisant pour créer le chant de l'œuvre.

Idées littéraires rendues plastiques

Quand on exprime une idée littéraire dans une matière autre et d'une façon autre qui n'a jamais été exprimée de telle façon, elle est, par la difficulté même, rendue plastiquement. Il s'agit d'une difficulté réelle et non pas de l'habileté, difficulté qui n'est jamais vraiment résolue et qui reste, en chaque nouveau cas, à être vaincue. Cette difficulté est vaincue par l'instinct infailliblement et incessamment. Elle peut avoir été résolue par d'autres; mais si le peintre en question ignore la solution apportée, chaque être, dans l'ignorance, peut recommencer toute l'histoire des arts du monde et le chant qui se dégagera de son œuvre restera toujours pur. Cela annule tout le rôle qu'ont voulu jouer les Écoles des beaux-arts, parce qu'elles ont travaillé et ne travaillent que dans le connu et les seules difficultés à vaincre sont des difficultés d'ordre technique. Elles n'ont aucune ignorance et aucun mystère à vaincre.

L'instinct

La sensibilité est la manifestation de l'instinct. L'instinct, c'est ce qui nous fait agir fatalement pour notre plus grand bien et pour le plus grand bien de l'espèce.

Il n'y a que l'art académique qui soit abstrait.

Sensibilité = c'est l'harmonie qui se crée instinctivement, harmonie de la matière et de l'esprit et cela ne s'opère que lorsque l'instinct s'exprime – l'instinct n'agit pas volontairement, consciemment, mais il agit dans la nécessité créée par l'inconnu (l'instinct interdit même une jouissance; si on s'arrête à une jouissance ce n'est plus instinctif, c'est volontaire).

L'instinct, s'il fallait bâtir sur lui par désir, par volonté, pourrait conduire au pire matérialisme. Ce ne sont pas les mauvaises pensées qui sont le péché, mais c'est d'y consentir – les choses morales ou immorales sont celles qui correspondent à une règle de conduite, c'est pourquoi un objet ne peut être moral ou immoral, car ça n'a rien à voir avec une règle de conduite. (Objection: mais l'artiste qui crée est dépendant d'une règle.) (Réponse: mes œuvres ne comptent que par leur sensibilité. La sensibilité ne s'exprime que dans l'extrême intelligence.)

Rythme

Mouvement expressif, harmonieux, spontané, fatal.

L'impression générale et l'unité de l'œuvre sont la conséquence de l'unité d'état dans lequel le tableau est fait et cet état n'est jamais choisi, mais accepté; parce que continuité dans la recherche intellectuelle.

Gaillard: « Ça je trouve ça épatant, c'est parce que c'est possible, chaque forme étant des véritables objets, que l'on pourrait construire; pour lui, tout ce qui manquait à ces objets, c'était leur utilisation dans un monde extérieur, dans la vie pratique. »

Il est suffisant qu'une peinture soit un support impeccable à des rêves de milliers d'individus pour qu'elle soit justifiable, qu'elle les fasse passer du monde matériel à la poésie plastique. La poésie plastique (volume, couleur, rythme, mouvement, lumière) est inhérente à des formes individuelles, propres, et qu'il est impossible de transférer dans une autre matière.

La discipline intellectuelle est progressive ; selon une courbe ascendante elle continue les données acquises, comme la science (ici entrent les données techniques).

Le chant n'évolue pas : il n'y a pas de différence de qualité dans le chant : il est ou il n'est pas, mais une différence de quantité. La sensibilité qui fait le chant est plus ou moins présente.

II – Discipline intellectuelle

Idée générale
Signification scientifique que la science aura à trouver ! Discipline intellectuelle. La différence d'orientation de ces pensées reste individuelle.

D'abord un désir de faire un objet – d'agrandir la création, de se répandre – cet objet est bien défini dans sa matière, cet objet entraîne fatalement ces pensées de volume, rythme, mouvement, lumière.

Le chant
La beauté est le reflet de Dieu, un attribut de Dieu – quand Dieu y est, il y est tout entier, il ne peut être à demi. La beauté y est ou n'y est pas. Il y a des demi-

vérités mais pas de demi-beautés. Un chant est juste ou il est faux ; il ne peut être à demi juste. C'est relatif par la quantité. Le chant est toujours entier quand il y est mais sa quantité varie à l'infini. L'œuvre d'art est la sensibilité humaine dans une matière = chant.

Analogie
Relation entre l'art et la nature.

L'art et la vie évoluent de la même façon dans un perpétuel renouveau. La nature reste le matériau primordial de l'art. – Assimilé comme aujourd'hui ou non assimilé selon les époques anciennes = beauté d'emprunt à la matière. Notre imagination n'est faite que de ce que nous voyons. Nous ne pouvons rien concevoir en dehors de notre cerveau. Tous les siècles passés ont été pour découvrir les moyens plastiques de rendre l'aspect visuel de cette nature, chaque siècle apportait solution à ces difficultés multiples. Aucun siècle ne s'est contenté de ce qui avait satisfait les précédents. Après ce cycle du jour nous commençons le cycle de la nuit : en redécouvrant les moyens plastiques d'exprimer cette nuit. Nous découvrons de semaine en semaine la façon d'exprimer les choses assimilées.

Le subconscient est tout ce qu'on a refoulé. Où ? En soi. Souvenirs accumulés qui forment toute notre vie ; passé = toute notre richesse acquise. La libido. L'instinct est inné, lui, c'est un principe de vie.

III – *Borduas*

Je n'ai aucune idée préconçue. Placé devant la feuille blanche avec un esprit libre de toutes idées littéraires, j'obéis à la première impulsion. Si j'ai l'idée d'appliquer mon fusain au centre de la feuille ou sur l'un des côtés, je l'applique sans discuter, et ainsi de suite. Un premier trait se dessine ainsi, divisant la feuille. Cette division de la feuille déclenche tout un processus de pensées qui sont exécutées toujours automatiquement. J'ai prononcé le mot «pensées», i.e. pensées de peintres: pensées de mouvement, de rythme, de volume et de lumière et non pas des idées littéraires (celles-ci ne sont utilisables que si elles sont transposées plastiquement).

Le dessin étant déterminé dans son ensemble, la même marche est suivie pour la couleur. Comme pour le dessin, si une première idée est d'employer un jaune, je ne la discute pas. Et cette première couleur détermine toutes les autres. C'est particulièrement au stade de la couleur que les problèmes de la lumière et des volumes entrent en jeu.

L'idée générale qui se dégage du tableau est une conséquence de l'unité d'état dans lequel le tableau est fait, et cet état n'est jamais choisi, mais accepté.

L'idée générale n'a qu'une valeur secondaire, une fois l'œuvre terminée. Le chant seul de l'œuvre fait sa beauté essentielle. Seul il peut être senti par le spectateur. Toutefois, l'idée générale découlant de la discipline intellectuelle peut être comprise du spectateur. Celle-ci (cette discipline intellectuelle) est le travail mental de l'artiste dont la rigueur détermine le degré de pureté.

La discipline intellectuelle est nécessaire à tout artiste, académique ou vivant; la seule différence est que chez les académiques, cette discipline agit dans le connu, et chez les peintres vivants, dans l'inconnu.

Maintenant, il est fatal que ce travail doive se produire dans un perpétuel devenir afin que l'instinct, d'où découle le chant, puisse continuellement s'exprimer au cours de l'exécution de l'œuvre. Le chant est la vibration imprimée à une matière par une sensibilité humaine. Cela rend cette matière vivante. C'est de là que découle tout le mystère d'une œuvre d'art : qu'une matière inerte puisse devenir vivante.

PARLER D'ART EST DIFFICILE

Parler d'art est difficile, toujours. Vous en parler l'est davantage.

Toute question nous ramène sans cesse au centre où tous les problèmes se posent. Problèmes de la beauté, de la poésie, des disciplines intellectuelles, de la technique. L'œuvre d'art la plus sommaire ne sachant exister sans ces qualités, sans toutes ces qualités. L'art naît de la vie intellectuelle et sensible. L'art est un message de l'être humain à ses frères. L'œuvre d'art sollicite votre connaissance, votre amour, votre contemplation. D'autres problèmes surgissent en foule. Problèmes des manières de voir, justes ou fausses, des idées propres à certaines époques, des préjugés accumulés depuis des siècles, de l'histoire de la pensée, de l'histoire de la vie, de son évolution, de la naissance à la mort, des possibilités de la vie et, par elle, des possibilités de l'art.

Que choisir, par où commencer ?

Je sais qu'un puissant intérêt vous anime. Vous avez constaté depuis des semaines déjà qu'une multitude d'œuvres d'art réputées des chefs-d'œuvre vous échappent, vous déplaisent, vous blessent, vous font horreur. Vos convictions sont ébranlées, vous êtes inquiètes. Votre inquiétude n'est-elle pas la réponse de votre présence ici ? Des mille manières de goûter une œuvre d'art, quelles sont les bonnes ?

Je sais que nous sommes aussi troublés devant l'ère nouvelle qui s'amène.

Je sais que nous souffrons horriblement de la tragédie universelle, qu'une époque héroïque est commencée depuis longtemps déjà pour quelques-uns, qu'elle devra s'étendre à tous, que seuls les plus nobles, les plus braves, les plus purs survivront.

Je sais qu'il y aura des pleurs et des grincements de dents, je sais. Je sais que tout ce et tous ceux qui ont réussi en ce siècle et demi passé n'étaient pas nécessairement tout ce qu'il y avait de meilleur.

Je sais que de grands poètes sont morts inconnus, que de grands savants furent persécutés, que de grands politiques n'ont pu donner au monde le bienfait pour lequel ils étaient nés, que de grands artistes furent ridiculisés toute leur vie.

Je sais et vous savez aussi que cela ne peut continuer indéfiniment.

Nous savons que tout être doit se remettre à une tâche humaine. Nous savons tous qu'il faut refaire ce qui a été corrompu ou faussé, qu'il faut continuer ce qui est resté sain.

Nous savons tout ça.

Je sais que des mille manières de goûter une œuvre d'art, bien peu sont bonnes.

Quelles sont celles-ci ? Quelles sont celles qu'il faut détruire ?

Je sais que les bonnes manières de goûter une œuvre d'art s'apparentent aux bonnes manières de goûter la vie. Comment en parler ? Je sais que les mauvaises manières de voir un chef-d'œuvre sont aussi les mauvaises manières de vivre. Comment y remédier, sans renoncer au confort intellectuel, au succès facile, sans être héroïque, sans être brave quelquefois jusqu'à la misère, jusqu'à la réprobation générale?

Je sais. Mais tant pis, le sort en est jeté, ayant accepté de vous rencontrer, je dois tout risquer.

En vous disant le plus exactement possible ce que je pense, risquer de perdre votre sympathie, l'amitié de quelques amis, les foudres de certains philosophes, la colère de certains amateurs d'art, le sourire ironique des bons conférenciers. Mais tant pis, il faut être et tout risquer comme l'enfant encore maladroit qui se fourre partout sans jamais se demander comment il s'en sortira. Je commence en souhaitant que comme lui, je m'en sorte, car c'est encore ce qui lui arrive le plus souvent.

Il fut un temps où tout objet de la fabrication de l'homme était poétique, pur, simple. La grotte, la danse, la musique. Un temps où tout objet était une œuvre d'art.

En ces temps-là, personne ne savait encore quelle manière il fallait adopter pour goûter une œuvre d'art, les fausses n'étant pas encore apparues à la surface de la terre. Mais tous connaissaient déjà la saveur de la beauté plastique.

Il est encore un moment dans la vie de tout homme où tout ce qu'il fait est œuvre d'art. C'est malheureusement le moment où tout lui est interdit, celui de la première enfance pour peu qu'elle soit préservée de nos préjugés, de notre savoir-faire.

Pour la plupart d'entre nous ce temps-là est bel et bien révolu.

Il y a aussi un certain nombre d'êtres qu'on nomme artistes, qui du berceau de la race humaine à nos jours ont conservé ce secret d'une perpétuelle jeunesse. Ce secret, ils l'ont toujours et infailliblement renfermé tout entier dans leur œuvre.

Ces œuvres, bien plus que leur auteur, nous apporteront la lumière recherchée. Interrogeons-les.

Le flambeau ne doit dire grand-chose de la flamme qui le consume.

Questionnons-les directement. Non pas en recherchant la solution des premiers problèmes constatés tout à l'heure de la beauté, de la poésie, des disciplines intellectuelles, de la technique. Cela viendra plus tard.

Car de la beauté je sais que vous avez une idée toute objective. La beauté est ce qui plaît. Mais l'on oublie que ce fameux « Ce qui plaît » sous-entend ce qui plaît, ce qui resplendit dans quelque chose ; que la splendeur du vrai exige du vrai, et le vrai est tout ce qui est, est toute chose, et que sans ce quelque chose, la beauté ne saurait exister. La beauté est donc une qualité de ce quelque chose. Appelons-le objet, ce quelque chose. Sans la connaissance de l'objet vous ne sauriez voir, vous ne sauriez goûter la beauté qu'il possède. Vous ne pouvez donc, ni goûter ni piger, sans la connaissance. Et cette connaissance doit être humaine, non abstraite, superficielle, codifiée, mais profondément vivante, sensible, en éveil. Cette connaissance doit vite franchir la circonférence, l'aspect de l'objet, pour se réfugier au centre même de sa vitalité véritable, de son éternellement humaine raison d'être. Là sera sa beauté centrale, la source de toute contemplation. Je sais que de la poésie, vous possédez une idée toute poétique, très littéraire. Vous dites poétique, ce qui est aimable, caressant et doux, aussi ce qui est légèrement mystérieux et troublant.

Il y a cependant une littérature, une poésie puissante, intransigeante, une poésie divine, c'est celle de la Bible, une autre non moins puissante et forte, mais diabolique, celle des *Chants de Maldoror*. Il y a aussi la poésie de l'univers, qui nous donne autre chose que des soleils couchants. Il y a la poésie plastique très âpre quelquefois que tout le monde ignore, sans même soupçonner son ignorance.

Je sais que des disciplines intellectuelles, on ignore encore les véritables raisons d'être. L'on prend pour fins, les buts qu'elles proposent, lorsqu'elles ne sont que des moyens d'être, de vivre, d'évoluer plus rapidement, plus intensément.

Le but atteint, elles deviennent mortes, inutiles, empoisonnées, si belles, si pures, si lumineuses fussent-elles en cours de route.

Et l'on s'attarde depuis plus d'un siècle à une discipline empoisonnée. Et l'on se demande de quoi l'on meurt !

Je sais que la technique est spontanée, éclatante, lorsqu'elle découle d'une discipline intellectuelle vivante et saine (et pour être vivante et saine, en évolution) et que de spontanée, de moyen, elle devient fin, préméditée ; lorsque la discipline a atteint le but, elle devient définitivement codifiée.

Je sais. Nous pourrions ici nous attarder longtemps et peut-être ne pas très bien nous entendre. Au moins difficilement nous entendre, ne prêtant pas aux mêmes mots le même sens.

Allons plus loin, plus au centre de tout problème d'art où nous trouvons la vie.

C'est par elle que nous pourrons le plus nous comprendre, car sur elle nous possédons tous les mêmes expériences.

La vie sera donc le vaste pont qui nous permettra de nous entendre, de nous rejoindre dans la connaissance essentielle de l'art et sondant cette connaissance, nous posséderons du même coup les manières d'en goûter.

De la vie, revoyons ensemble les principaux signes, les principales qualités, la beauté.

Le signe principal de la vie n'est-il pas l'évolution de la vie à la mort ?

Langue morte celle dont l'évolution est terminée, les règles définitivement codifiées.

Nature morte, tableaux aux éléments inanimés dans la nature. Nous disons d'un arbre qu'il est mort bien avant qu'il soit redevenu poussière, mais dès qu'il a cessé de renaître au printemps dans ses fleurs, dans ses fruits.

À tous les stades de la vie nous voyons ce mouvement si lent, parfois si rapide.

Fatalité que ce mouvement, sans lui c'est l'ankylose, la léthargie, la mort.

Ne croyez-vous pas qu'il doit en être ainsi du domaine intellectuel ? Je le crois.

Quelle est la principale qualité de la vie ? Ne serait-ce pas la pureté d'abord, la générosité ensuite : d'où découle l'ordre indispensable, la rigueur, la générosité ? Plus le mouvement est large et plus il est généreux. La nature donne à profusion, ne compte pas, surtout lorsqu'il s'agit de l'amour. Pensez au vol nuptial de Mayerling, surtout lorsqu'il s'agit de l'amour qui est la fonction vitale par excellence.

Quel est le signe de la générosité si ce n'est pas la spontanéité ? Plus une chose est généreuse et plus elle est spontanée.

N'en est-il pas ainsi à tous les degrés de la vie, soit animale, morale ou intellectuelle ?

N'y a-t-il pas aussi une autre qualité de la vie qui serait la sensibilité ?

Les métaux mêmes n'échappent pas à cette loi, que sont la chaleur et le froid. Et plus l'organisme de la vie est supérieur et plus la sensibilité est grande.

Nous avons là les principaux signes, les principales qualités de la vie, mouvement, pureté, générosité, spontanéité, sensibilité. Ce n'est pas par hasard que nous avons du même coup les qualités supérieures de l'œuvre d'art. Puisqu'elle aussi puise sa raison aux sources mêmes de la vie. Il était fatal qu'elle dût en avoir les qualités.

Voyons maintenant ces qualités en rapport avec la qualité mystérieuse, d'essence divine, que l'on nomme la beauté.

Mais avant, disons qu'il y a autant de beautés qu'il y a d'individus.

La beauté d'un arbre n'a rien à voir à la beauté d'une fleur, tout en étant de la même essence. La beauté plastique n'a rien à voir à la beauté littéraire, quoique la beauté littéraire possède une beauté plastique, mais qui est d'une toute autre forme. La beauté plastique n'a rien à voir à la beauté naturelle, quoiqu'elles soient aussi universelles l'une que l'autre.

Et surtout que dans l'ordre matériel, la beauté idéale n'existe pas et ne saurait exister puisqu'elle est de l'ordre de l'esprit, non de la matière. Son support est l'idée.

Certes l'œuvre d'art peut posséder une idée, procède toujours d'une idée, mais ce n'est qu'une fois que l'idée est emprisonnée dans une matière quelconque qu'elle devient œuvre d'art et alors elle possède sa propre substance d'où découlera sa beauté substantielle.

L'enfant n'a pas grand-chose à voir à l'amour qui lui a donné la vie et sa beauté est sa beauté propre. Nous contemplons dans l'enfant, l'enfant, non l'amour de ses parents. Que la beauté soit toujours individuelle, ceci est clair je crois, il ne faudra plus jamais tout confondre.

Maintenant nous savons que la beauté est toujours une beauté individuelle, qu'elle ne saurait exister sans objet, idée ou matière. Je m'excuse d'y revenir, c'est le seul désaccord entre initiés et non-initiés. Les non-initiés ne voient pas la beauté substantielle de l'œuvre, mais toutes les beautés ou laideurs de tant d'autres ordres qui s'y trouvent.

L'initié, lui, ne peut contempler que la beauté substantielle, que la beauté intrinsèque de l'œuvre. Si évidentes que soient les beautés de tout autre ordre, il sait et ne peut oublier qu'il n'a pas besoin de l'œuvre d'art.

Il sait que la beauté féminine par exemple est infiniment plus émouvante dans la vie que même les plus merveilleuses beautés de ce genre que l'art tout entier peut lui proposer.

Le non-initié recherche l'illusion. L'initié recherche ce qui est.

Plus les qualités vitales sont évidentes et plus nous aimons le degré de beauté que la nature nous donne.

Nous sommes tous les initiés des joies de la nature, notre point d'entente. Et plus cette beauté est quantitative et plus cette contemplation est profonde.

Le plus ou moins de beauté d'un objet est question de quantité.

Nous aimons la mer pour son immensité qui nous délivre. Pour sa mobilité qui nous bouleverse, pour son rythme qui nous berce, pour sa colère qui nous affole, pour son calme qui nous apaise, pour ses couleurs qui nous émeuvent infiniment.

Beaucoup de pêcheurs détestent la mer qui est souvent si dure pour eux, qui les use généreusement. Mais ils lui trouvent les mêmes beautés que nous, sauf que ces beautés-là, ils les aiment moins que nous.

Au ciel, nous trouvons une autre beauté. Pourtant, il possède comme la mer, l'immensité. Mais sa matière est différente, et sa beauté n'est plus la même.

Nous aimons les lacs du nord pour mille raisons. Mais nous les contemplons pour une seule : celle de leur beauté éternelle, de leur limpidité, de leur fraîcheur.

Il en est ainsi de toute la nature et pour toute créature humaine que nous aimons ou détestons pour mille raisons, tout être, tout objet.

Mais nous ne contemplons que la beauté objective de toute chose et tout objet.

Il n'y a pas de qualité de la beauté, la beauté étant qualité, elle est ou n'est pas. Mais elle est répandue avec plus ou moins de quantité, d'évidence. C'est ce qui détermine son plus ou moins de splendeur. Cet arbre est plus ou moins beau selon que les signes, que les qualités de vie y sont plus ou moins généreuses.

Il en est ainsi de toutes les œuvres de l'art. Une définition de l'œuvre d'art serait ici à sa place. C'est l'expression d'une sensibilité humaine dans une matière quelconque.

Des amis découvrirent l'an dernier sur la grève de Percé une petite pierre plate qui était là sans doute depuis des siècles et des siècles. Elle s'était formée et fut usinée uniquement par la loi mécanique de l'univers : la pluie, les vents, les vagues de la mer, la chaleur et le froid. Cette petite pierre est merveilleuse. Elle est entièrement sculptée en bas-relief et nous présente l'aspect d'une sculpture chinoise d'une époque lointaine représentant un grand détail d'un petit personnage drapé.

C'est à s'y méprendre et nous avons une grande joie à la contempler. Mais cette contemplation n'est pas la contemplation d'une œuvre d'art. C'est la contemplation d'un caprice de la nature. Il n'y a pas l'expression d'une sensibilité chinoise mais qu'un reflet accidentel d'une telle sensibilité. Ce n'est pas une œuvre d'art mais elle a l'aspect d'une œuvre d'art. Parce que la vie qui s'y trouve n'est pas la vie d'un être humain qui l'aurait façonnée, mais la vie mécanique de l'univers.

Un merveilleux soleil levant, une aurore boréale, un orage ne sont pas des œuvres d'art parce que comme la petite sculpture de mes amis, ils n'expriment pas une sensibilité humaine, une possibilité humaine.

L'œuvre d'art est donc une sensibilité humaine dans une matière quelconque. Cette matière et cette sensibilité devront être respectées – si l'une ou l'autre est fausse ou douteuse, l'œuvre sera fausse ou douteuse.

Comme les matières sont multiples, les sensibilités sont infinies. Chaque être a la sienne propre.

C'est l'union de la matière et de la sensibilité qui crée l'harmonie, la beauté plastique.

La sensibilité est spontanée toujours et étant spontanée, l'artiste ne peut l'exprimer délibérément dans son œuvre. Alors, dans quelles conditions s'y exprime-t-elle ?

Elle ne s'exprime que dans la liberté totale. Elle ne s'exprime que dans l'effort total.

Liberté totale veut dire liberté totale de jugement, condition essentielle à notre vie totale, et vivre totalement veut dire vivre vers l'inconnu toujours, pour toujours posséder davantage, connaître davantage, se compléter davantage. Vivre totalement veut dire passage du connu à l'inconnu toujours, désir de posséder l'inconnu tout entier.

PARLONS UN PEU PEINTURE

Parlons un peu peinture.

Un tableau est un objet sans importance.

Il n'empêche pas des milliers d'êtres de souffrir de la faim, du froid, de la maladie ; de toutes les maladies.

Il ne peut éviter non plus à des villes entières de sauter d'un seul coup dans les ténèbres sous la poussée explosive de nos engins meurtriers.

Cependant au cours des siècles il a su lentement nous révéler les formes du ciel, de la terre, de l'homme, de la lumière, du mouvement. Toutes ces choses qui nous sont devenues familières. Il permit aussi à une multitude de satisfaire l'impérieux besoin d'une activité désintéressée.

Cette familiarité de la forme nous est indispensable mais ne saurait suffire à éteindre notre angoisse. Un monde reste obscur, hostile, presque inexploré : le monde psychique. Nous avons la conviction que ce monde-là, comme l'autre, le tableau finisse par nous le rendre familier, dût-il y consacrer les siècles à venir d'une nouvelle civilisation.

Ceux qui reprochent aux peintres d'entourer leurs œuvres de théories s'enfoncent un doigt dans l'œil. Ce ne sont pas leurs œuvres que les peintres entourent de théories mais les œuvres du passé, et cela jusqu'à eux. Ceux-là n'ont rien compris, la confusion est leur lieu de prédilection. De ce lieu, il n'est pas étrange qu'ils aient une curieuse conception de l'activité humaine en général et de celle du peintre en particulier; comme s'il était possible de faire le moindre pas dans la connaissance sans une ardente curiosité alliée à un espoir illimité. Dans le domaine de la pensée faire le point semble aussi nécessaire qu'au capitaine en mer. L'activité cérébrale déployée n'est que la conséquence de ces nécessités psychologiques. Désirs d'ordre, de lucidité, de maîtrise qui éclairent l'objet du désir, l'espoir.

Si à certaines époques il fut possible au peintre de s'isoler dans une expérimentation à l'accent plastique (exemple : lorsqu'il s'est agi de remettre en question les fondements mêmes du langage pictural : Cézanne, si inconsciemment que ce fût), cet état est maintenant psychologiquement impossible. Les problèmes picturaux de l'heure sont intimement liés à notre conception d'un monde meilleur sur tous les plans à la fois. Les problèmes plastiques ne se posent plus en tant qu'art, mais en tant que conduite à suivre dans la vie (nous sommes joliment loin de Saint-John Perse) et nous n'y sommes pour rien. Ceci fut l'affaire de ceux qui nous ont précédés.

Si le surréalisme permit notre évolution émotive, la peinture permit d'en suivre les contours. Sans elle il est probable que nous n'aurions eu que quelques bonnes recettes de plus ; en somme la possibilité d'un maintien élégant et osé à la fois, tout ce qu'il aurait fallu pour bien réussir dans la vie, faire notre bonheur et celui de nos parents.

Malheureusement cette maudite peinture était là.

Partis de la plus bête sincérité déjà imposée, *ne pas tricher avec le modèle*, sincérité toute physique de l'œil qui enregistre à la main qui inscrit, « Gomme et recommence ! », sincérité toute mécanique, graduellement une conscience plus haute s'imposa.

Une analyse plastique du douanier Rousseau valait au moins en sincérité nos plates copies.

Une analyse romantique d'Ozias Leduc valait bien elle aussi cette sincérité de la rue Saint-Urbain.

Une synthèse de Picasso valait bien nos pensums.

C'était déjà l'essentiel. La hache se mit à tourner en rond et à faire voler en éclats d'abord timides les bêtises les plus grossières. Petit à petit toutes les qualités d'emprunt du tableau sautèrent.

De la ressemblance nous passons à la vraisemblance, de la vraisemblance à l'essentiel ; de l'essentiel à un autre monde, de l'autre monde aux similitudes nouvelles.

Cette équipe vous présente ces similitudes nouvelles.

Leur résonance est en vous comme en eux et en moi.

Si vous ne les reconnaissez, c'est que vous êtes quelque part entre la ressemblance et l'essentiel. Ce ne saurait être les jalons qui manquent pour vous conduire à eux.

Ne cherchez pas de clef mystérieuse, elle n'existe pas. La porte qui conduit à la cour intérieure est large ouverte. Ne croyez pas à un art fermé, tous les chemins de la pensée y conduisent depuis les impressionnistes, donc depuis un siècle. S'il vous semble fermé, c'est que vous n'y êtes pas rendus. Si vous n'y êtes pas rendus, c'est probablement que des valeurs sentimentales périmées vous font risette quelque part sur la route. Dans ce cas allez au fond de ces valeurs, tentez d'en épuiser le charme. Alors vous pourrez reprendre le chemin qui conduit au présent. Aucune étape de l'évolution de la pensée ne peut être arbitrairement sautée.

Si vous avez la tentation de désirer un art détaché de l'homme, un art parfait, complet en soi, retournez plus en arrière encore dans l'histoire que l'endroit où vous êtes : si dans la continuelle transformation des activités humaines vous ne voyez pas une nécessité première, alors tentez de refaire l'art de votre choix. Vous vous rendrez peut-être alors compte de ses profondes attaches avec la réalité du moment de sa conception ; réalité qui ne saurait s'improviser.

Si vous avez aussi la tentation de croire à un art théorique, encore une fois, vous n'y serez pas. La théorie n'a fait que déblayer l'amas des préjugés plus ou moins lointains. La théorie n'a été que l'ordonnance en savoir de la connaissance sensible passée.

L'automatisme employé ici envieux comme le monde, aussi ancien que la danse, le chant, la parole libre. Sa nouveauté est que, avant le surréalisme, on n'avait pas pensé que ce mode d'expression pût être employé au bénéfice d'une meilleure connaissance de l'homme.

Ce mode d'expression n'a d'ailleurs rien d'exclusif. L'unanimité du moyen employé est la preuve d'un vigoureux espoir. Si quelqu'un parle d'une mine d'or en un lieu inconnu, les chercheurs affluent de toutes parts sans qu'il soit besoin d'une théorie pour expliquer leur arrivée.

L'espoir devrait suffire.

LE RETOUR

[...] le retour – qu'il suffit d'un coup de tonnerre pour le transformer. Ce ne saurait être aussi facile.

Il n'est pas vrai que les idées mènent le monde. Ce sont les désirs, les passions qui mènent le monde. Malheureusement ces désirs, ces passions arrivent difficilement à la connaissance sensible. De bien longs détours sont nécessaires et une fois rendus au stade de la connaissance, ils deviennent vite des idées (qui n'aident pas) qui ont la malencontreuse manie de se suffire à elles-mêmes et d'oublier l'objet qui en fut la raison d'être. Pour une idée neuve, il y en a des billions de nuisibles qui courent le monde. Toute idée est fausse qui n'est la relation parfaite d'un contact particulier avec son objet.

Automatisme
La forme est naïve ou savante, même académique. Si la forme est académique quel que soit l'intérêt du sujet d'emprunt (objet mental) elle n'aura peu ou pas d'utilité pour la connaissance formelle. Seule pour nous la forme sensible est la grande receleuse de mystères objectifs. L'objet mental, l'idée si ingénieuse, si imprévue soit-elle, est vite épuisé. Plus la forme liée à l'idée est précise (plus l'idée est claire) moins cette forme est convulsive.

Si la forme est académique elle n'aura pas ou peu d'utilité pour la connaissance formelle, même avec un sujet d'emprunt (objet mental) des plus intéressants. L'idée si ingénieuse, si imprévue puisse-t-elle être, est peu dynamique, peu régénératrice, s'épuise vite. Pour nous la grande receleuse de mystères objectifs est la forme sensible.

Plus la forme liée à l'idée est précise (plus l'idée est claire) moins cette forme sera convulsive.

Pourquoi ne pas exercer la lucidité, la volonté aux choses déjà passées. Le présent mieux défini permet seul un plus grand espoir en ce qui sera tout à l'heure. Ce n'est pas le passé qui est sacré, c'est l'avenir. Tout est volontairement permis pour le passé, rien n'est volontairement possible pour l'avenir.

[...] le grand espoir de liberté est au bout de ça. À la réalité de l'évolution. Comme je constate que la crainte de penser, d'être seul, est son principal obstacle à vaincre, heureusement je constate aussi que plus le risque est grossier, plus il est profitable, immédiatement profitable. Ce qui en dégoûte rapidement les plus généreux. C'est la compensation de la crainte. L'ensemble des hommes sont ainsi condamnés à évoluer malgré eux. À la condition que des individus, comme par le passé, dégoûtés du risque grossier, et pour un certain temps encore, acceptent pour leur passion de connaître, les pires conditions humaines, morales et matérielles.

Nous ne pouvons rien changer à ce qui a été. Nous améliorerons l'avenir.

L'homme peut être maintenant dans une sécurité suffisante, s'il a l'occasion de connaître les objets susceptibles de réaliser en lui une sensibilité adulte. Les prophètes les lui ont donnés. Les livres les plus utiles lui sont encore interdits. Les contacts les plus nécessaires lui sont refusés. Et ces interdictions et ces refus ne profitent qu'à ceux qui possèdent. Et l'argent, et le pouvoir quels qu'ils soient.

Ceux qui sont tout près de saisir ces nécessités refusent de crier, par crainte d'être seul, par crainte du vertige, par crainte d'une passion qui demanderait le sacrifice total de leur être et de ceux qu'ils aiment.

Les seuls qui osent se trouvent ainsi si rares qu'ils peuvent à peine se faire entendre. On les couvre de ridicule, ou du lourd manteau du silence, ce qui est encore plus funeste.

Les armes dont la société se sert contre eux sont quand même leur seul espoir.

Sans ces supplices, les vérités les plus éclatantes ne seraient jamais connues. Elles rapportent un succès facile à ceux qui les ridiculisent d'abord, et laissent mourir d'isolement, de froid ou de faim, ceux qui les mirent à jour. Elles font la fortune ensuite des esprits utilitaires qui les introduisent dans la communauté.

On retrouve les mêmes caractéristiques pour l'individu que pour la société : du plus évolué au moins évolué pour chaque individu dans ses activités, de la plus simple à la plus exceptionnelle.

Il n'y a d'art, à quelque degré que ce soit dans la gamme de l'art culinaire au tableau, que lorsque l'accent porte sur l'invention. Autrement ce sont tout simplement des techniques.

Dieu
l'Âme
l'Éternité

Le mystère source, le premier de tous les mystères qui nous entourent, réside dans l'impossibilité actuelle de connaître la matière. Lorsque nous la connaîtrons, nous en connaîtrons alors les limites, les possibilités.

(L'âme pour nous n'étant qu'une des possibilités de la matière. Pas d'âme sans corps.)

L'âme exprimant une relation ancienne. Concernant les mouvements passionnels de l'homme. (Nous décelons des mouvements semblables chez tous les animaux ; le règne végétal n'en est sûrement pas exempt.) Cette relation ne saurait être conservée. Bien plus, l'âme chrétienne ayant la possibilité de vivre sans corps. De la mort à la résurrection générale d'une complète impossibilité de vérification, ne saurait être utile d'aucune manière à la connaissance sensible de la vie et de l'homme en particulier.

Connaissance qui permettra sa libération dans son propre milieu.

Éternité : liée à Dieu, à l'âme, ne saurait non plus être conservée.

Pour l'homme, la relation la plus permanente possible est la matière à laquelle s'attache l'idée de réalité. La réalité n'ayant elle-même qu'un sens de relation limitée aux perceptions sensibles hors desquelles il ne saurait y avoir de connaissance justifiable.

Les limites de la connaissance sensible sont inconnues. De jour en jour nous espérons les reculer.

Ce qui semble être exceptionnel hier peut très bien devenir courant demain.

Le marxisme nous a donné une explication rationnelle des mouvements de l'histoire.

Mouvement qui avant lui était incompréhensible sans l'interprétation des pouvoirs surnaturels.

Cette découverte fut une prise de conscience magnifique. Du coup l'accent passa du surnaturel au naturel, du spirituel au matériel ; elle permit toute une série de nouvelles prises de conscience. L'âme disparut de la conception de l'homme évolué.

Mais l'erreur des marxistes est qu'en supprimant l'âme, ils oublièrent aussi, dans l'enthousiasme, l'importance passionnelle.

L'homme sans corps (matière immatérielle) est inconcevable. La vie sans passion est aussi inconcevable.

Les passions sont des comportements de la matière liés au développement biologique de cette matière. Mais les passions, dans les limites du développement biologique, déterminent l'activité de l'homme, lui donnent son caractère, son accent.

La lutte des classes, qui doit de toute nécessité tenir compte des conditions économiques pour les transformer est inconcevable sans la passion d'une plus grande liberté, sans la possibilité d'un espoir d'amélioration pour la classe opprimée et sans la passion de dominer par la puissance acquise de la classe qui opprime.

Une société sans aucune passion collective ne saurait être concevable.

Les passions sont liées à nos perceptions sensibles, dont la relation plus ou moins consciente détermine notre connaissance sensible.

Nos perceptions sensibles (individuellement) sont liées à la finesse propre de nos sens, à la finesse même de notre matière humaine, très inégale selon les individus, sur laquelle nous ne pouvons rien.

Cette qualité de matière, nous en héritons de nos parents.

Les conditions sociales, économiques favorisent plus ou moins le développement possible de la connaissance de ces perceptions sensibles, mais ne peuvent d'aucune manière en changer la qualité native, la qualité de matière, du moins durant une vie donnée.

Seul le comportement passionnel est transformé plus ou moins par les circonstances.

Mais c'est la possibilité passionnelle, la passion même, qui crée le dynamisme, les circonstances.

LE SURRÉALISME ET NOUS

Le surréalisme nous a révélé l'importance morale de l'acte non préconçu.

Ils mirent spontanément l'accent sur le hasard. Cependant, involontairement, ils reportèrent cet accent, au fur et à mesure de leur évolution, sur la valeur intentionnelle.

Cette valeur est sans espoir pour nous.

L'intentionnalisme chrétien révéla involontairement lui aussi le vice suprême de l'intention.

L'acte, fruit d'une activité passionnelle – résultante physico-psychique –, n'est lié à l'intention (nécessaire, non suffisante) que par la magie du désir ; magie prise dans le sens de l'imprévisible transformation apportée par le désir.

Face à l'acte, il est facile de déceler l'intention plus ou moins lointaine de son auteur. Mais l'intention ne peut nous révéler la réalité sensible de l'acte. Seules les relations formelles propres à l'objet, involontaires à l'auteur, ont une réalité sensible.

Le reste est relatif, si passionnant, si nécessaire qu'il fût.

Devant ce dessin qui m'était inconnu tout à l'heure, si j'ai la certitude d'être devant un Mousseau, ce n'est certes pas pour telle ou telle intention de son auteur; cette intention put m'être inconnue avant la prise de contact avec le dessin et ma mémoire prise au dépourvu.

Si j'ai la certitude d'être devant un Mousseau, c'est à cause d'une relation formelle constante à Mousseau que ma mémoire me rappelle comme unique et propre à Mousseau, à tous les stades connus de son évolution.

Si je reconnais encore telle aquarelle comme de Riopelle (pour me servir d'exemples de la dernière exposition), ce n'est pas à cause de la technique employée, volumes, lumière, mouvements, matières, couleurs, ce sont à peu près les mêmes depuis toujours, c'est uniquement à cause d'une autre relation formelle propre et aussi involontaire à Riopelle que sa vie.

Le désir-passion façonne l'objet en exprimant la relation individuelle.

Un désir choisi détruit involontairement la relation sensible et la remplace par une relation impersonnelle.

Toutes relations formelles sont reproductibles mécaniquement par n'importe quel moyen. Nous avons dans ces cas, reproductions ou copies des similitudes de ces relations; elles ont la valeur de toutes similitudes : elles sont relatives et font double emploi.

Le surréalisme nous a révélé l'importance morale de l'acte non préconçu. Cependant ils abordèrent l'amour dans un état préjudiciable à l'amour, à la connaissance de la vérité.

Ils abordèrent l'amour dans l'espoir chrétien d'une monogamie indissoluble (à tout jamais liée à l'idée d'éternité). « L'isolement du couple dans l'univers, cellule se suffisant à elle-même », est considéré comme un bien, le plus grand bien moral, non comme un moyen. Espoir en la permanente efficacité d'un « choix libre » comme si l'amour était un objet fixe, immobile et passé. L'enfant fut permis au moment délibérément choisi, moment se présentant comme le plus grand risque.

En dépit d'expériences malheureuses dans leurs personnes, en dépit de l'impossible justification de ces espoirs autour d'eux d'abord, dans l'histoire ensuite, ils persistent systématiquement à vouloir y croire.

Ne serait-il pas plus généreux d'obéir à l'amour sans restrictions, sans préjugés, sans défenses.

La passion peut être follement lucide, il lui semble bien interdit d'être préconçue dans son parcours, comme dans sa durée.

La liberté du choix est aussi illusoire lorsqu'il s'agit de l'objet de l'amour que pour tous les objets de nos désirs vivants.

L'amour peut peut-être conduire les amoureux vers des horizons insoupçonnés malgré les conditions sociales exécrables, malgré les déficiences individuelles inévitables, si la simplicité est suffisante. Au-delà de l'isolement habituellement nécessaire, habituellement d'une durée assez longue aussi, n'y aurait-il pas une phase possible de parfaite intelligence de ces deux êtres dans l'univers?

À la limite de la phase délirante exclusive, est-il impossible, si on le permet, une phase plus délirante encore, non exclusive, au contraire embrassant tous les êtres et les choses?

Seul: deux: tous.

En tout cas, toute direction imposée à l'amour ne pourra jamais que le détruire. Toute action choisie n'est bonne qu'à émonder.

Coupons largement les branches mortes du pommier, coupons aussi largement les branches du milieu, que le soleil, la chaleur puissent pénétrer au cœur de l'arbre. Soyons ardents, attentifs, peut-être les fruits seront-ils plus parfaits.

De toute façon, nous aurons fait ce qu'il était possible de faire. Nous avons toujours cru que le possible devait suffire à notre espoir.

Le surréalisme fut pour nous l'occasion de notre évolution sensible. Il permit les contacts brûlants des généreux scandales que sans lui nous n'aurions probablement pas connus, embourbés que nous étions dans des préjugés sans nombre.

Le surréalisme replaça l'œuvre d'art à sa place dans l'activité de l'homme. Il permit de mieux connaître le mécanisme de la création poétique. Il nous révéla la continuité des prophéties.

Le surréalisme fut pour nous un magnifique exemple de courage, d'ardeur. Le surréalisme, par tout son comportement, nous révéla une large tranche de nous-mêmes.

Nous sommes les fils imprévisibles, presque inconnus d'ailleurs du surréalisme. Des fils illégitimes peut-être, dont la filiation se fit à distance, non volontairement de notre part, mais par la force des choses.

CAUSERIES

Entrevue radiodiffusée à Radio-Canada
le 19 décembre 1950
Invité : Paul-Émile Borduas
Animateur : Roger Rolland

ROGER ROLLAND. – *Roger Caillois, dans un de ses derniers volumes, parle de l'art ; il parle aussi de la nature et il prétend que l'art doit être anti-naturel parce que, dit-il, la nature, malgré ses merveilles, a toujours tendance à se désagréger, à périr ; et il dit que l'art doit chercher au contraire à durer. Est-ce que vous croyez que dans votre enseignement, vous devez essayer de montrer à l'élève non seulement comment exprimer ses sentiments, mais comment les exprimer d'une façon durable ? En somme, est-ce que vraiment vous cherchez à donner à l'élève toute liberté ? Est-ce que vous ne croyez pas que cette liberté peut être préjudiciable à l'art ?*

PAUL-ÉMILE BORDUAS. – Ce problème de Roger Caillois n'en est pas un pour moi au plan de l'enseignement. Chaque artiste par le passé – et chaque personne qui a parlé d'art – a parlé d'art à un point de vue qui est strictement individuel, nécessairement. J'en ai un, probablement tout aussi individuel, qui est celui-ci : l'art pour moi peut prendre, peut épouser les formes de tout être humain, quel qu'il soit, et non seulement les formes mais aussi les pensées de tout être humain. Le problème se pose pour moi de favoriser l'épanouissement des qualités natives de ceux qui viennent à moi ; non pas en leur apportant des connaissances extérieures, ou en leur apportant des solutions des artistes du passé, mais en favorisant leur propre vie.

Mais de quelle façon pouvez-vous arriver vraiment à faire d'une matière plastique (parce que la peinture, quand on la regarde, est bien une matière) presque une règle de vie ? Évidemment, l'art est toujours difficile, mais il me semble extrêmement difficile d'en arriver, surtout avec des tout jeunes, à leur faire exprimer au moyen de couleurs et de formes un être intérieur ; non seulement à l'exprimer mais à le faire s'épanouir ?

Naturellement, il est impossible de faire ça directement. C'est une impossibilité. Il n'y a pas de règle, bien sûr. Il s'agit tout simplement d'essayer de définir quelles sont les conditions qui permettent l'épanouissement des êtres. Ce sont des conditions, ce ne sont pas des recettes ; ce sont des conditions d'être, ce sont des conditions de rapports entre hommes, ou entre élèves et maître. Ces conditions m'apparaissent comme quelque chose d'extrêmement précieux, d'extrêmement délicat et d'infiniment variable, et ça ne se présente jamais pour deux êtres de la même façon.

Mais quelles seraient, tout de même, ces conditions?

Ces conditions sont des conditions d'ordre moral, uniquement; une condition d'attention par exemple; c'est la principale des conditions. Un maître qui ne peut pas être assez attentif au travail qu'on lui soumet pour s'oublier lui-même et pour contempler les beautés qu'il peut y avoir là, ne serait pas dans les conditions requises.

Mais enfin, sur le plan proprement plastique, comment arriver à faire traduire...?

Il ne s'agit pas de faire traduire. Jamais. Ça se fait pas! Il s'agit simplement de permettre, c'est le plus que l'on puisse dire n'est-ce pas, c'est de permettre ça. Ce n'est pas une chose rare que cette puissance dont vous parlez: tous les êtres humains en sont doués. Tous les êtres humains sont doués d'une connaissance sensible qui est très grande. La preuve en est que si on donne à un enfant de cinq ans des pinceaux, des gouaches et une feuille de papier, puis qu'on lui suggère un sujet, tout de suite il va spontanément faire une image qui révèle une très grande connaissance visuelle du monde extérieur, de la couleur, de la forme, du rythme, du mouvement, enfin de toutes les qualités propres à une œuvre plastique. Naturellement, il n'en prend pas conscience, d'aucune façon. Mais ces qualités sont très positives et très réelles. Il ne s'agit pas de les créer; ce sont des choses qui existent, qui existent chez tout être.

Mais cet enfant qui a fait cette chose merveilleuse, il l'a faite sans effort. Est-ce que vous croyez vraiment...?

Ah, je ne crois pas qu'il l'ait faite sans effort! C'est ce que l'on croit peut-être, mais il n'a pu la faire que dans l'attention totale de ce qu'il faisait. Et c'est ça l'effort de l'artiste. C'est de s'oublier dans l'œuvre qu'il fait et de s'oublier complètement ; et s'oublier tellement que de changer le point de départ. Je me rappelle un cas particulier : j'avais [dans un cours] une petite fille de sept ou huit ans qui a commencé par vouloir dessiner un cheval – le désir en était exprimé verbalement. Elle prend son pinceau..., évidemment, ça n'avait pas beaucoup l'air d'un cheval. Elle dit : « Ça va devenir un éléphant », et puis ça finit par être un éléphant. C'est là une attention qui, je crois, est très aiguë. L'effort est dans le sens de voir et de suivre ce qui se fait ; non pas dans le sens d'imposer quelque chose, mais dans le sens d'écouter, de voir, de comprendre, de suivre et d'être toujours parfaitement d'accord avec ce que l'on crée.

Ceci n'est sûrement pas en accord avec les préceptes officiels de l'enseignement de la peinture ?

Ah non, justement. Nous sommes à l'opposé, n'est-ce pas ? Je vois deux façons de guider quelqu'un dans l'art. Il y a la façon courante, habituelle, académique, officielle plus exactement, qui tend à détruire..., ou mieux, à faire acquérir des qualités d'habileté à l'élève : sa main qui est maladroite, on tente de la raffermir par des exercices spéciaux ; son œil également, qui voit une gamme plus ou moins étendue de tons. Au même moment qu'on développe ses habiletés manuelles, on développe son habileté visuelle. On tente comme ceci de renforcer de plus en plus la qualité strictement matérielle de son dessin, en ne tenant absolument pas compte de l'être lui-même, de sa façon de réagir (c'est ce que j'entends par l'être). L'enseignement officiel peut alors se donner indifféremment à n'importe qui. Il ne s'agit pas pour le professeur de savoir à qui il a affaire, de savoir qu'il a dans les mains un être unique comme le sont tous les êtres. Il voit ses élèves en groupe, par classes; il impose à tous des exercices et, à tous, les moyens de réussir dans ce qu'ils lui demandent. Tandis que moi, je ne demande jamais rien à mes élèves; jamais je ne leur demande rien. Jamais je ne leur dicte comment faire telle ou telle chose. Je peux leur suggérer tel ou tel exercice par exemple, tel ou tel thème; mais l'élève devra le faire comme il pourra, le mieux qu'il pourra – pas plus –, et sans aucune sorte d'aide de ma part. Une fois que l'œuvre est faite, l'élève me l'apporte. Or un élève est par définition quelqu'un qui n'est pas sûr de lui-même, quelqu'un qui se cherche; dans l'état actuel du monde, les jeunes gens sont très inquiets d'eux-mêmes et tendent à se raffermir sur la base de qualités qui sont très lointaines par rapport à leurs possibilités. Par exemple, ils cherchent une qualité expressive, ils tendent à une qualité de reproduction sans pouvoir y arriver. Mais dans le décalage entre les possibilités et la vraie puissance de réalisation (décalage qui se révèle par ce que l'élève considère comme des déficiences, comme des défauts, ce qui lui fait détester son dessin), ce sont ses propres déficiences, ses propres défauts qui me révèlent sa nature, sa façon de réagir. Il s'agit pour moi d'en prendre conscience et d'en faire prendre conscience à l'élève. Il s'agit donc de découvrir les qualités cachées de son œuvre, les qualités les plus précieuses, les plus rares, les plus uniques, les plus particulières et de négliger complètement l'autre côté, que l'élève lui désirait, et qui est abstrait, extérieur à lui-même.

Mais une fois découvertes ces qualités, comment les exploiter, comment les faire se multiplier et se réaliser sur un plan pictural, sur un plan plastique et presque matériel ?

La matière plastique doit toujours être au service d'une intensité de vie, et d'une intensité toujours de plus en plus grande. La seule façon de permettre l'épanouissement des qualités matérielles d'une œuvre est donc de favoriser l'épanouissement des qualités natives de l'être, quelles qu'elles soient, dans n'importe quelle direction ; et ces qualités matérielles sont toujours au diapason de sa puissance d'être.

Je comprends votre point de vue. Mais tout à l'heure nous parlions d'effort ; sur quoi exactement doit porter cet effort ? Comment l'élève va-t-il arriver à comprendre la façon dont l'effort moral doit s'intégrer dans une peinture, dans une œuvre plastique ?

Je ne crois pas que l'élève ait à envisager les choses sous cet angle. Dessiner, peindre, c'est être par définition à la recherche d'un idéal. Cet idéal peut se présenter de bien des façons. D'une façon tout à fait académique, on peut mettre l'idéal dans l'acquisition d'une chose extérieure à soi. En premier lieu, il faut prendre conscience que cet idéal conduit uniquement à l'esclavage, ne conduit pas du tout à la maîtrise... Je ne sais pas si vous me saisissez bien, mais pour moi ça se présente comme suit : premièrement, comprendre que ces qualités matérielles doivent être des conséquences, non pas des fins en soi ; c'est peut-être plus clair comme ça. Une fois que cet idéal tout à fait artificiel a disparu, il en naît nécessairement un autre.

Je m'excuse de vous interrompre, monsieur Borduas, malheureusement nous sommes forcés d'arrêter ici cet entretien; nous le reprendrons plus tard. Merci.

Entrevue radiodiffusée à Radio-Canada
le 21 décembre 1950
Invité : Paul-Émile Borduas
Animateur : Roger Rolland

ROGER ROLLAND. – *Monsieur Borduas, vous nous avez parlé l'autre soir de l'enseignement de la peinture. J'avais pensé vous poser quelques questions ce soir sur la façon dont nous devons regarder un tableau. Il est reconnu maintenant que devant un tableau nous devons mettre de côté notre mémoire et n'être que sensibilité. C'est la partie sensible de l'être qui doit regarder un tableau ; mais il semble que, malgré ces conseils, le public en général soit encore hostile ou du moins incapable d'« entrer dans un tableau », tableau que nous pourrions dire moderne. Est-ce que vous auriez à ce sujet quelques précisions à nous apporter ?*

PAUL-ÉMILE BORDUAS. – Des précisions, je ne sais pas... Mais vous avez dit par exemple – et je l'ai constaté aussi – que les gens s'appliquent à regarder les tableaux sans penser. Je crois pas qu'il y ait une solution à cette façon d'être. Regarder un tableau demande la vie complète de l'individu qui regarde, demande une attention complète ; et il est impossible d'éliminer des préoccupations de l'ordre de la pensée pour ne voir qu'avec ses yeux, qu'avec sa sensibilité. Il faut que ça fasse un tout. Il n'y a donc pas une manière idéale de regarder un tableau, je ne crois pas. Il y a autant de manières idéales de regarder un tableau qu'il y a d'êtres qui le regardent ; ça, c'est bien sûr. C'est malcommode, parce qu'on est toujours un peu à la recherche d'une recette, et il ne peut pas y avoir de recette… Tout au plus un conseil peut-être : c'est de ne pas regarder un tableau avec des idées arrêtées, les idées que l'on croit éternelles, en soi-même, immuables et infinies. C'est là, je pense, une mauvaise façon de regarder un tableau.

Mais enfin, est-ce qu'il y a quelque chose à chercher dans un tableau ?

Oui. Tout est à chercher dans un tableau, tout. Et justement parce que tout est à chercher, vous ne pourrez pas le regarder avec l'idée que vous avez déjà trouvé. Si vous regardez un tableau par exemple, non figuratif, et que vous voulez absolument y trouver une idée figurative, vous ne pourrez pas voir le tableau. Pourquoi ? Parce que votre attention sera dirigée vers un objet qui n'existe pas, vers une qualité qui n'existe pas, et cela vous interdira de prendre un contact précis avec l'objet qui est devant vous. Il faut regarder un tableau et obéir ensuite aux pensées qu'il fait naître en vous ; et ce sont ces pensées-là que vous devez contrôler par la suite.

Mais justement, il y a plusieurs personnes qui disent qu'une bonne part des tableaux ne provoquent aucune pensée, aucun sentiment. Est-ce que cela dépendrait du tableau ou de leur état à eux ?

C'est bien extraordinaire qu'un tableau, qui est un ensemble de volumes, de couleurs et de lumière, ne puisse pas déclencher de sentiments!

Enfin, des sentiments hostiles...

Ah oui, tous les sentiments seront hostiles justement, si vous cherchez une chose qui n'y est pas. Par exemple, il m'est arrivé des quantités de fois que des gens parfaitement sympathiques me disent: « Monsieur Borduas, j'aime beaucoup vos choses, j'aime beaucoup la couleur, seulement je ne comprends pas! » Je suis obligé de leur répondre très honnêtement: « Je ne comprends pas plus que vous. Ce que vous cherchez dans le tableau, je le cherche moi aussi. Vous cherchez le sujet de ce tableau-là, je l'ignore autant que vous. » Alors ceci semble toujours une révélation pour eux. Ils ne pouvaient pas s'imaginer en regardant le tableau que cela pouvait être un désir de formes et un désir de couleurs et un désir de lumière et un désir d'harmonie et que ces désirs-là puissent être des objets précis. Pour eux, ça n'a pas de sens précis. Pourquoi? Simplement parce qu'ils sont attachés à voir d'autres qualités qui sont secondaires, des qualités d'emprunt, comme de sujet, d'état, de science, de tout ce que vous voudrez, mais qui est en dehors, exprimé par ces qualités plastiques, mais en dehors de la plastique même.

Ainsi ces mêmes personnes devant un tableau de la Renaissance par exemple et qui se diraient très heureuses, très à l'aise, n'y comprendraient rien?

Elles comprendront les similitudes, les choses d'emprunt qui sont là, mais la réalité même du tableau, elles ne la verront pas si elles regardent uniquement dans ce sens-là. Parce que la réalité du tableau est de l'art plastique, de toute nécessité. Ce sont ses qualités plastiques qui doivent exprimer des sentiments, non pas des sentiments vagues et généraux, mais des sentiments très précis. Alors ces sentiments très précis existent dans tout tableau, de tout temps ; ils sont quelquefois bien cachés sous un amoncellement de qualités tout à fait extérieures. Alors on dit : « Quelle jolie robe, quel joli pli, quelle chaise épatante, quelle jolie expression du visage » et ainsi de suite. Ce sont des qualités tout à fait extérieures aux qualités propres de la plastique. Elles sont bien exprimées par elle, mais restent tout à fait extérieures. C'est assez clair ?

Euhmm... ça va assez bien. Seulement, vous parlez de plastique, d'objet... Je crains toujours que l'homme soit diminué, qu'il disparaisse un peu lorsqu'on ne peut pas le reconnaître dans un tableau. Est-ce que vous ne croyez pas qu'en chassant l'objet, on a parfois aussi chassé la présence humaine ? C'est une objection un peu imprécise, mais vous devinez peut-être ce que je veux dire ?

Oui. Je comprends très bien. Vous voulez dire : « une partie de l'humain », parce qu'on reconnaît très bien l'humain dans les qualités géométriques par exemple. Dans le triangle, dans le cercle, dans le carré, il y a des qualités strictement humaines, très cérébrales, mais qui sont bien des qualités humaines. Évidemment, un tableau qui irait jusqu'à cette abstraction-là, jusqu'à cette pureté d'abstraction aurait une puissance émotive sûre, mais qui serait très limitée à une forme d'être assez rare et très aiguë. C'est un art qui ne m'a jamais ému beaucoup et j'aurais mieux aimé faire des sciences que de faire cet art-là, bien sûr. Pour ces qualités de plastique dont je vous parlais, il n'y a pas de recettes, pas plus que pour la façon de regarder. C'est une communion avec le monde, le monde qui nous est révélé par la vue, qui est le monde du peintre. Ces qualités plastiques, c'est la qualité même de la lumière qui éclaire les objets qui sont là. Maintenant, ces objets doivent avoir au moins l'équivalence en réalité visuelle de n'importe quel objet qui est autour du tableau. Ce ne sont donc pas du tout des qualités abstraites que ces qualités plastiques, ce sont des qualités qui nous viennent essentiellement des sens et qui montent à la conscience.

Je pense par exemple à certains peintres qui faisaient « chanter la pâte ». Je vous avouerai que j'aimais beaucoup cette expression, que je la trouvais charmante et que je me doutais que c'était bien là l'essence de la peinture. Mais je n'ai jamais réussi vraiment à voir « chanter la pâte ». Est-ce que même dans cette matière presque inanimée, dure et qui est tellement loin de l'âme immatérielle de l'homme, il y a possibilité de faire éclater un monde ?

Oui, parce que le monde, nous le considérons comme un tout, n'est-ce pas, et faire chanter la pâte, c'est faire chanter trois ou quatre tons parfaitement harmonisés. La pâte, c'est une matière ; une matière n'est visible que parce qu'elle est éclairée et, si elle est éclairée, elle va déterminer des ombres, des lumières et des demi-teintes. Faire chanter cette pâte-là, c'est accorder d'une façon parfaite ses ombres, ses demi-teintes et ses lumières, c'est créer l'harmonie même dans le plus petit fragment du tableau. C'est ce qu'on appelle faire « chanter la pâte ». Comment peut-on arriver maintenant à goûter ce chant ? Nous entrons dans la spécialisation la plus poussée ; il n'y a qu'une éducation visuelle, une libération de l'esprit de tous les préjugés, de toutes les recettes apprises, qui permettent d'arriver à goûter ce chant-là. Je soupçonne bien que ça doit être un peu le même problème en musique. Quelqu'un qui ne se sent pas très familier avec les sons ne pourra pas goûter beaucoup trois ou quatre notes seulement, il aura besoin de toute une symphonie pour déclencher son admiration ; tandis que le musicien, avec très peu de matière, peut avoir une contemplation très dense, parce que son être est entraîné à peu de quantité. Pour les spectateurs, c'est la même chose ; on va vers une épuration de nos contacts avec tout objet, mais on y va lentement. C'est toujours l'histoire de toute une vie, c'est toujours infini comme orientation et comme espoir aussi, mais on peut pas tout désirer du coup, ce n'est pas possible.

J'ai toujours été étonné par ces peintres qui tout à coup mettent le doigt sur le coin d'une toile et disent : « ça, c'est bon » ou « ça, c'est mauvais ». Cela demande une spécialisation dont on voudrait toujours avoir le secret mais qui est peut-être réservée aux seuls spécialistes.

Oui, enfin le « secret », c'est une image, parce qu'il n'y a rien de vraiment secret ou de caché dans cela. Tous ceux qui jouent avec ces matières-là n'ont pas de plus grand désir que de les répandre à l'infini. Seulement, évidemment, cela dénote une certaine étape sur un certain chemin, une chose que l'on ne peut pas demander à tout le monde. On ne peut pas demander à tout le monde d'être à différentes étapes sur ce chemin, mais ce qu'on peut demander à tout homme par exemple, à tout être quel que soit son degré d'évolution, c'est de regarder très honnêtement un objet neuf qu'il a devant les yeux – et j'entends très honnêtement – de le regarder avec tout son être et puis de penser librement, en accord avec cet être-là.

Je vous remercie, M. Borduas. Comme vous le dites, il n'y a pas de recette, mais vous avez donné quand même des précisions qui me semblent extrêmement précieuses et, au nom de vos auditeurs, je désire exprimer notre gratitude. Merci bien.

CARREFOUR

Entrevue radiodiffusée à Radio-Canada
le 13 octobre 1954

Quinze minutes sur la scène et parfois aussi, dans les coulisses de l'actualité.

JUDITH JASMIN. – Montréal. Nous nous excusons de parler si souvent de notre métropole mais, malgré ses défauts, ses tares et sa moralité fléchissante, Montréal reste le plus grand carrefour de notre pays. Montréal se donne actuellement le luxe d'une dizaine d'expositions de peinture.

Vous pensez que j'exagère ? En voici quelques-unes rapidement énumérées : au Gesù, des huiles naïves de Normand Hudon ; à l'Échouerie, « Un monde pessimiste » de Holbein ; à l'Art Français, des paysages ensoleillés de Provence par Gustave Vidal, peintre d'Avignon ; au Musée des beaux-arts, le sculpteur Anne Kahane et le peintre Léon Bellefleur ; à la Dominion Gallery, une rétrospective de l'art français de 1870 à 1954 avec ses plus grands noms, de Renoir à Dufy ; enfin, à la galerie Agnès Lefort, Paul-Émile Borduas, celui qui jadis rédigea le manifeste intitulé *Refus global* contre la peinture académique et qui entraîna à sa suite un grand nombre de jeunes artistes.

Vous voyez qu'il y en a pour tous les goûts : des plus conservateurs aux plus… Au fait comment appelle-t-on cette peinture abstraite, qui fait fi du sujet pour ne s'attacher qu'aux couleurs ? Agnès Lefort, qui expose Borduas, a la réputation d'encourager surtout la peinture abstraite ; elle peut donc répondre à notre question.

AGNÈS LEFORT. – Je considère que le peintre d'avant-garde est le seul qui s'occupe de créer et je rejette l'académiste qui n'est qu'un homme de métier, métier qui n'est quelquefois que la répétition de ce qui a été fait, métier quelquefois excellent. Très souvent, c'est le peintre non figuratif qui représente l'avant-garde, mais pas toujours…

JUDITH JASMIN. – Très souvent. Mais c'est de la peinture figurative que je montre ?

AGNÈS LEFORT. – Je veux emprunter [un mot] à Léonard de Vinci qui disait à ses élèves : « Le peintre qui marche dans les pas de ses prédécesseurs est un peintre mort-né, un artiste mort-né. »

JUDITH JASMIN. – Et chez vous, pas de mort-nés ?

AGNÈS LEFORT. – Pas de mort-nés ! Je ne veux que de l'art vivant chez moi, pour la galerie de l'art vivant. Je devrais la nommer ainsi.

JUDITH JASMIN. – L'art vivant, le voici exprimé par le pinceau et la spatule de Borduas ; sur ses toiles intitulées *Solidification*, *Frais jardin*, *Les arènes de Lutèce* ou *Les signes s'envolent*. La peinture s'étale en plaques épaisses, en taches jetées comme au hasard, disposées par une main distraite ; des éclaboussures rouges ou bleues sur un fond crémeux. Paul-Émile Borduas, après bien des tempêtes, s'est retiré à New York, comme dans un havre de paix. Il apparaît aujourd'hui à Montréal, serein, détendu, heureux de nous parler d'abord de philosophie ; car la peinture abstraite s'étaye sur une éthique toujours très abstraite, elle aussi.

PAUL-ÉMILE BORDUAS. – Il y a six mois, pour moi, la société telle qu'elle est – dans laquelle je suis né – était vouée au désastre. C'était impossible de la poursuivre plus longtemps. La fabrication mécanique était viciée, parce qu'elle obligeait l'homme à faire des actes mécaniques. On trouve odieux n'est-ce pas que les ouvriers soient obligés de faire des actes mécaniques, indéfiniment, à la chaîne, pour fabriquer ces choses-là. Mais maintenant, on peut envisager très rapidement la possibilité de l'auto-fabrication intégrale : c'est-à-dire qu'une automobile se fera mécaniquement du commencement à la fin, sans l'intervention de ces mains humaines qui sont devenues des mains mécaniques, et ça s'est fait, c'est expérimenté, c'est…

JUDITH JASMIN. – Alors en somme l'homme peut échapper à cette mécanisation ?

PAUL-ÉMILE BORDUAS. – Oui, il sera complètement libéré, il n'aura que la joie et l'usage de cette mécanisation et ça m'apparaît tout à fait unique dans toute l'histoire du monde.

JUDITH JASMIN. – Alors vous voyez donc un peu le monde libéré. Mais est-ce que vous imaginez aussi l'évasion ? Vous avez dit deux fois…

PAUL-ÉMILE BORDUAS. – Bon. Voilà ! Voilà ! Ça, c'est pour le côté mécanique. Mais il y a aussi un fait neuf, je pense, dans toute l'histoire du monde : c'est la psychanalyse. La psychanalyse, pour moi, c'est de voir de plus en plus objectivement des fonctions qui ont toujours été cachées sur des idéaux très lointains.

JUDITH JASMIN. – Et c'est cet homme nouveau, libéré par la psychanalyse, qui, maintenant, fait la peinture que vous faites?

PAUL-ÉMILE BORDUAS. – Ah non! Voilà! Non. Pas encore. Ça, c'est un obnubilé… Seulement, la peinture maintenant devrait être appelée à nous rendre familiers les aspects encore troublants du psychisme comme, pendant vingt siècles n'est-ce pas, elle s'est appliquée à nous rendre familiers les aspects troublants du monde physique.

Les artistes des premiers siècles n'ont peint que des animaux, des bisons…, enfin tous les animaux de la forêt. Ils leur apparaissaient des objets dangereux, des objets mystérieux, des objets troublants. Alors, ce que j'entends par « nous rendre familiers des objets troublants », c'est que ces animaux-là étaient pour eux des objets troublants. Comment le définir d'une façon plus précise? il y a toute une série de comportements humains qui nous échappent encore et qu'on étudie par l'analyse, qu'on étudie rationnellement par l'ana- lyse et qui sont reproduits spontanément dans cette peinture contemporaine et qui se répètent, qui devront se répéter naturellement très longtemps pour nous les rendre familiers.

JUDITH JASMIN. – C'est le monde intérieur que vous explorez?

PAUL-ÉMILE BORDUAS. – Exactement. Ce monde (et tous les aspects de ce monde intérieur) devra se répéter dans la peinture – dans la peinture qui m'in- téresse – aussi longtemps que les aspects du monde extérieur se sont répétés dans les formes d'art qui intéressent tout le monde.

JUDITH JASMIN. – Alors en somme, vous n'entrevoyez pas votre mouvement comme quelque chose de fini, de clos ?

PAUL-ÉMILE BORDUAS. – Non ça m'apparaît véritablement comme le commencement d'un monde dont je ne vois pas la fin.

JUDITH JASMIN. – Eh bien, écoutez. Après cet exposé de votre nouvelle philosophie, pour en venir si vous voulez à des choses beaucoup plus… matérielles. D'abord, vous êtes parti à New York, il y a, je crois, deux ans ?

PAUL-ÉMILE BORDUAS. – Ça fait, oui, un an et demi.

JUDITH JASMIN. – Est-ce que vous avez beaucoup travaillé à New York ?

PAUL-ÉMILE BORDUAS. – D'abord, je ne suis pas parti pour New York tout de suite : je suis parti au printemps, au mois d'avril. J'ai une vieille habitude de la campagne ; il me paraissait absolument absurde d'aller m'installer à New York pour l'été qui s'en venait. Alors je suis allé à Provincetown, c'est un endroit charmant.

JUDITH JASMIN. – Provincetown, New York. Vous nous semblez presque américanisé. Est-ce que c'est votre cas ? Est-ce que c'est vrai ? Est-ce qu'on peut dire que nous avons perdu un peintre, qu'il est devenu maintenant un citoyen américain ?

PAUL-ÉMILE BORDUAS. – Non. Je crois pas qu'on puisse jamais perdre ses racines. Pour moi un être est authentique s'il est bien à un endroit, et s'il est bien enraciné à cette place, n'est-ce pas, et s'il a poussé. Mais pour pousser, il faut avoir quand même l'esprit en dehors de la terre où on est né. Si on est enraciné par-dessus la tête, on étouffe. Mais je reste très profondément Canadien, je pense.

JUDITH JASMIN. – Mais est-ce que l'Amérique pour un artiste est un pays idéal? Est-ce qu'on y crée, est ce qu'on y crée à l'aise?

PAUL-ÉMILE BORDUAS. – Écoutez, l'Amérique… j'ignore ce que c'est que l'Amérique. Je connais New York et New York pour moi est un point dans l'espace, sur la planète, et tout à fait ouvert au reste de l'univers. New York n'est pas l'Amérique; c'est uniquement un point géographique qui est sans frontière, qui est ouvert sur le monde. Je crois que Paris est aussi un autre point géographique, qui est ouvert sur le monde. Montréal, c'est un point canadien. Il y a des frontières alentour de Montréal. La vie y est ici en famille, plus chaude, plus touchante qu'elle ne l'est à New York, sans doute, mais elle reste en famille et ça ne sort pas, ça ne sort pas de l'autre côté. Alors, à New York nous avons cette communion, qui est une communion assez abstraite, mais avec l'univers, et qui a été pour moi un stimulant considérable.

JUDITH JASMIN. – Vous êtes parti du Canada à un moment où on discutait beaucoup la peinture que vous et vos disciples, vos compagnons aviez faite. Est-ce que vous avez trouvé à New York un public mieux préparé à comprendre vos tableaux?

PAUL-ÉMILE BORDUAS. – Certainement; c'est-à-dire qu'à New York il y avait un public universel. Ici, c'était un public d'amitié n'est-ce pas…

JUDITH JASMIN. – Est-ce à dire que dans le monde actuellement on accepte cette peinture non figurative qu'on n'accepte pas beaucoup encore à Montréal?

PAUL-ÉMILE BORDUAS. – Mais oui! Mais bien sûr! Elle est généralement acceptée partout. En France, en…

JUDITH JASMIN. – À Montréal, on est en arrière, autrement dit?

PAUL-ÉMILE BORDUAS. – Attendez! Non. Parce que vous faites des généralités. Vous parlez du grand public de Montréal, n'est-ce pas?

JUDITH JASMIN. – Oui.

PAUL-ÉMILE BORDUAS. – Le grand public de Montréal, naturellement, est en arrière sur les formes d'art vivant. Mais le grand public de New York est aussi en arrière sur les formes d'art vivant. Et même le grand public de Paris est en arrière sur les formes vivantes. C'est pas ça. Les formes vivantes ont, à New York, un public universel, mais qui est fait d'éléments exceptionnels des États-Unis et d'éléments exceptionnels français et anglais et japonais et d'autres pays. Mais l'ensemble de tous ces petits éléments-là fait un public. Ici à Montréal, il y a aussi un public pour les peintres, les peintres qui m'intéressent.

JUDITH JASMIN. – Comment les qualifiez-vous entre vous?

PAUL-ÉMILE BORDUAS. – Eh bien, surrationnels, automatistes, bref tout ce que vous voudrez. Une définition plus universelle serait: expressionnisme abstrait; ça c'est généralement accepté.

JUDITH JASMIN. – Nous avons été très impressionnés à Montréal. Vous allez avoir, j'en suis sûre, de nombreux nouveaux amis…

PAUL-ÉMILE BORDUAS. – Ah…

JUDITH JASMIN. – Nous avons appris que l'un de vos tableaux a été acheté par le Musée d'art moderne à New York. C'est tout de même impressionnant.

PAUL-ÉMILE BORDUAS. – *(rire)*

JUDITH JASMIN. – C'est bien exact?

PAUL-ÉMILE BORDUAS. – Oui!

JUDITH JASMIN. – Est-ce que vous vendez vos tableaux à New York? Est-ce que ça se vend de la peinture surrationnelle?

PAUL-ÉMILE BORDUAS. – Oui, mais à New York j'étais inconnu au mois de janvier. Personne ne me connaissait, ne connaissait ma peinture. Du mois de janvier à maintenant, ce n'est pas tellement long pour naître dans un nouvel endroit. Mais par le fait même que je sois à New York depuis janvier, il y a eu, je sais pas, trente-huit tableaux de vendus depuis la fin d'avril.

JUDITH JASMIN. – Écoutez, je ne connais rien au commerce de la peinture mais j'ai l'impression que c'est très beau!

PAUL-ÉMILE BORDUAS. – Ça apparaît comme un record. Je suis un peu inquiet pour l'an prochain...

JUDITH JASMIN. – Trente-six tableaux, quand même, c'est la production de plusieurs années pour un peintre?

PAUL-ÉMILE BORDUAS. – Trois ans, oui.

JUDITH JASMIN. – Trois ans que vous avez vendus en six mois déjà.

PAUL-ÉMILE BORDUAS. – *(rire)*

JUDITH JASMIN. – Je comprends que vous trouviez que New York est une ville au point.

PAUL-ÉMILE BORDUAS. – Pas uniquement New York; par New York et non par le fait d'être là. Il y a des tableaux qui ont été vendus à Paris et ça n'a rien à voir avec New York.

JUDITH JASMIN. – Des acheteurs de Paris?

PAUL-ÉMILE BORDUAS. – Oui! Et puis il y a eu des acheteurs d'occasion qui sont venus à New York.

JUDITH JASMIN. – C'est beaucoup plus simple d'aller à New York que de venir ici à Montréal acheter vos toiles?

PAUL-ÉMILE BORDUAS. – On était bien gentil quand j'étais ici.

JUDITH JASMIN. – Oui? Et vous avez retrouvé à Montréal vos… disciples? Je m'excuse d'employer ce mot-là mais c'est un peu comme cela que nous les appelions.

PAUL-ÉMILE BORDUAS. – Oui.

JUDITH JASMIN. – Les Mousseau, etc., est-ce que vous les avez retrouvés?

PAUL-ÉMILE BORDUAS. – Oui, très vivants, très ardents, faisant des choses magnifiques, particulièrement Mousseau qui aura une exposition tout prochainement. Ça m'apparaît ici en pleine fièvre, en pleine création et plein d'ardeur.

JUDITH JASMIN. – Et le public? Le public de Montréal a-t-il évolué?

PAUL-ÉMILE BORDUAS. – Le public? Oui.

JUDITH JASMIN. – Dans votre sens?

PAUL-ÉMILE BORDUAS. – Le public de Montréal évolue dans tous les sens : il évolue en nombre, il évolue en poids, en profondeur, en sympathie ; il est merveilleux.

JUDITH JASMIN. – En somme, les discussions assez âpres que vous avez entreprises…

PAUL-ÉMILE BORDUAS. – Attendez!

JUDITH JASMIN. – … avec votre public il y a quelques années sont impossibles maintenant?

PAUL-ÉMILE BORDUAS. – Peut-être. Mais ce public « âpre » subsiste. Je l'ignore maintenant, parce qu'il y a autre chose…

JUDITH JASMIN. – Il y a un autre public qui a poussé ?

PAUL-ÉMILE BORDUAS. – … qui m'a permis d'oublier complètement ceux qui ne sont pas intéressés ; ils ne m'intéressent pas, pas plus que je ne peux les intéresser. Les ponts sont coupés.

JUDITH JASMIN. – Borduas admet donc honnêtement qu'actuellement entre le grand public et l'artiste d'avant-garde, les ponts sont coupés. Mais il garde l'espoir de rejoindre ce grand public un jour.

JUDITH JASMIN. – *Nous sommes actuellement dans un atelier près de Montparnasse, chez un peintre canadien que vous reconnaissez sûrement et chez qui quelques-uns de ses amis se sont donnés rendez-vous. Il [y a] quelques années à Montréal, vous vous en souvenez peut-être, une véritable révolution ébranlait les murs bien sages des Beaux-Arts. Un professeur de l'École du meuble brandissait le drapeau de l'indépendance vis-à-vis les canons de l'art plastique et s'engageait librement dans les [méandres] d'une voie de recherche; il s'agit de Paul-Émile Borduas. Depuis, Paul-Émile Borduas a continué son travail à Montréal, à New York et maintenant à Paris.*

Mais dites-moi, la dernière fois que nous avons vu une de vos expositions à Montréal, Paul-Émile Borduas, il y a trois ans environ, et maintenant dans votre atelier, nous voyons qu'il y a toute une évolution qui s'est produite entre votre travail d'alors et celui de maintenant. Qu'est-ce qui s'est passé exactement?

PAUL-ÉMILE BORDUAS. – J'ai peut-être rejoint certains de mes désirs que j'avais déjà dans ce temps-là. Je crois vous avoir parlé de l'espace, de cette appréciation en espace...

À ce moment-là, oui.

… et ma peinture allait vers un sentiment qui n'était pas encore mûr, qui n'était pas encore exprimable, je suppose.

Et pour atteindre l'espace dont vous parlez, vous semblez avoir abandonné complètement la couleur.

Oui. Cette perte de la couleur s'est faite très graduellement pour rejoindre une plus grande efficacité, une plus grande visibilité, une plus grande objectivité de contraste.

Quand vous parlez d'espace, est-ce qu'il s'agit de perspective comme l'entendaient les peintres?

Non, il n'y a plus de perspectives : ni aérienne ni linéaire, mais quand même, toujours, la troisième dimension, mais une troisième dimension qui est exprimée sans le secours de toute une série de plans. Dans les derniers tableaux, dans les tableaux plutôt de cette exposition (parce qu'il y a des tableaux récents à Montréal déjà), la couleur jouait justement ce rôle d'intermédiaire d'un plan à l'autre. Et comme les intermédiaires ont sauté, la couleur a sauté avec…

Paris a toujours été considérée comme une des villes importantes de la peinture. Vous avez connu New York et maintenant vous connaissez bien Paris. Comment est-ce qu'on pourrait comparer ces deux villes, dans le domaine de la peinture évidemment?

Je vois un mouvement très différent, parti des mêmes recherches de base, mais les résultats sont tout à fait différents. Depuis cinq ou six ans, à New York, un mouvement, un changement d'échelle s'est opéré. Les tableaux sont devenus de plus en plus grands, de plus en plus simples et comportant de moins en moins d'éléments. On a l'impression que la peinture de New York va vers des généralisations possibles; tandis que l'impression que nous avons à Paris, c'est qu'au contraire, ça va vers un art de plus en plus intime, de plus en plus personnel, de plus en plus psychique.

Est-ce que vous avez l'intention de rester à Paris indéfiniment?

Je n'ai pas de projet précis; mais j'escompte rester à Paris encore une couple d'années au moins et j'aimerais bien un jour aller au Japon aussi.

DOSSIER

Les signataires de *Refus global*

ARBOUR, Magdeleine (née en 1923). Spécialiste d'esthétique de présentation et de design d'intérieur. Études à l'École des beaux-arts de Montréal. Signe les costumes de la pièce *Bien-être* de Claude Gauvreau en 1947. Animatrice à la télévision de Radio-Canada, pour *La boîte à surprise*, émission pour enfants où elle tient la chronique de bricolage, puis à *Femmes d'aujourd'hui*. Enseigne à l'Institut des arts appliqués, puis au Cégep du Vieux-Montréal.

BARBEAU, Marcel (né en 1922). Peintre et sculpteur. Études à l'École du meuble. Participe aux expositions des automatistes. On lui doit la première réédition de *Refus global* dans *La Revue socialiste* en 1960. Artiste nomade, il vit de longues périodes de temps à Vancouver, à Paris, à New York, en Californie. C'est le père de Manon Barbeau, réalisatrice du documentaire *Les enfants de* Refus global.

CORMIER, Bruno (1919-1991). Psychiatre. Études classiques au Collège Sainte-Marie. Rencontre Borduas en 1941. Études en médecine à l'Université de Montréal, puis en psychiatrie à McGill.

Ami de Pierre Gauvreau et de Françoise Sullivan, il a aussi écrit des poèmes et du théâtre.

FERRON-HAMELIN, Marcelle (1924-2001). Peintre et artiste verrier. Sœur des écrivains Madeleine et Jacques Ferron. Études à l'École des beaux-arts de Québec. Vit à Paris de 1953 à 1966. Marcelle Ferron a réalisé la verrière de la station de métro Champ-de-Mars à Montréal.

GAUVREAU, Claude (1925-1971). Poète, auteur dramatique et critique d'art. Études classiques au Collège Sainte-Marie. Études de philosophie à l'Université de Montréal. Vit une passion amoureuse avec Muriel Guilbault, dont le suicide a été, selon ses dires, « la tragédie de [sa] vie ». Connaît des épisodes de dépression qui entraînent, à quelques reprises, son hospitalisation. Participe à la Nuit de la poésie en 1970. Sa pièce *Les oranges sont vertes* est créée par le Théâtre du Nouveau Monde en 1972, un an après son suicide.

GAUVREAU, Pierre (né en 1922). Frère de Claude Gauvreau. Peintre, réalisateur et auteur de séries dramatiques pour la télévision. Études classiques (interrompues) au Collège Sainte-Marie, puis à l'École des beaux-arts de Montréal. Officier dans les Forces armées de 1943 à 1946, en poste en Angleterre. Participe aux premières expositions des automatistes. À partir des années 1950, travaille pour la télévision de Radio-Canada, où il réalise, entre autres émissions, *Pépinot et Capucine*, *Rue de l'Anse*, *Radisson* et *D'Iberville*. Écrit les textes des séries *Le temps d'une paix*, *Cormoran* et *Le volcan tranquille*.

GUILBAULT, Muriel (1922-1952). Comédienne. Participe au Théâtre de l'Équipe, fondé par Pierre Dagenais. Joue en 1947 avec Claude Gauvreau dans la pièce de ce dernier, *Bien-être*. Joue le rôle de Marie-Ange à l'automne 1948, à la reprise de *Tit-Coq*, la pièce à succès de Gratien Gélinas. Écrit seule ou avec Claude Gauvreau des textes pour la radio.

LEDUC, Fernand (né en 1916). Peintre. Études à l'École des beaux-arts de Montréal. Rencontre Borduas en 1941. Fait la connaissance d'André Breton à New York en 1945. Vit à Paris de 1947 à 1953. Revient à Montréal. Membre fondateur de l'Association des artistes non figuratifs en 1956. Vit en France et en Italie de 1959 à 2006, sauf en 1970-1972, où il enseigne à l'Université du Québec à Montréal et à l'Université Laval.

LEDUC, Thérèse (1927-2005). Née Thérèse Renaud. Poète, comédienne et chanteuse. Avec ses sœurs Louise et Jeanne, joint le groupe des automatistes. Épouse Fernand Leduc en 1947. Vit à Paris de 1947 à 1953. Revient à Montréal, où elle travaille pour la radio et la télévision. Vit en Europe de 1959 à sa mort. Son recueil, *Les sables du rêve*, paru en 1946, a été republié en 1975.

MOUSSEAU, Jean-Paul (1927-1991). Peintre, sculpteur et décorateur. Études en art au Collège Notre-Dame avec le frère Jérôme (Paradis), ami de Borduas. Participe aux expositions des automatistes. Membre fondateur de l'Association des artistes non figuratifs en 1956. Conçoit des décors de théâtre, dont celui des pièces de Claude Gauvreau, *Bien-être,* en 1947, et *Les oranges sont vertes*, à sa création en 1972. Spécialiste de l'intégration des arts à l'architecture. Réalise certaines œuvres pour le métro de Montréal (stations Peel, Square-Victoria, Viau et Honoré-Beaugrand) et une murale lumineuse pour le siège social d'Hydro-Québec.

PERRON, Maurice (1924-1999). Photographe. Ami d'enfance de Jean-Paul Riopelle. Études à l'École Polytechnique, puis à l'École du meuble. La maison d'édition Mithra-Mythe qui publie *Refus global* et *Le vierge incendié* de Paul-Marie Lapointe est enregistrée à son nom. Auteur de la plupart des photos qui nous sont parvenues des activités des automatistes, entre autres des spectacles de danse de Françoise Sullivan. Le fonds Maurice-Perron fait partie des collections du Musée du Québec.

RENAUD, Louise (née en 1922). Sœur de Thérèse Leduc. Peintre, danseuse et éclairagiste. Études à l'École des beaux-arts de Montréal. Suit des cours d'éclairage de scène donnés par Erwin Piscator à la New School de New York. Gouvernante des enfants du galeriste Pierre Matisse. Par ce contact, elle fait connaître les peintres représentés par Matisse à ses amis de Montréal.

RIOPELLE, Françoise (née en 1927). Née Françoise Lespérance. Danseuse et chorégraphe. Vit à Paris de 1947 à 1958 avec son mari Jean-Paul Riopelle. Enseigne la danse contemporaine à Paris, puis à Montréal, après son retour en 1958. Signe des chorégraphies sur des musiques, entre autres, de Pierre Mercure.

RIOPELLE, Jean-Paul (1923-2002). Peintre, graveur et sculpteur. Études à l'École Polytechnique, puis à l'École du meuble. Participe aux premières expositions des automatistes. Vit à Paris à partir de 1947, où il se fixe en 1949. Fréquente les surréalistes, puis les peintres « abstraits lyriques ». Son œuvre connaît la consécration internationale. À partir des années 1970, vit en alternance entre le Québec et la France.

SULLIVAN, Françoise (née en 1925). Peintre, sculpteure, danseuse et chorégraphe. Études à l'École des beaux-arts. En 1946, étudie la danse moderne chez Franziska Boas à New York. En 1948, crée la chorégraphie *Dualité* avec Jeanne Renaud (sœur de Louise et Françoise Renaud et épouse de Bruno Cormier). Signe des chorégraphies exécutées en plein air, dans des environnements non conventionnels. En 1959, fait de la sculpture avec Armand Vaillancourt. Enseigne à l'Université Concordia à partir de 1977.

Notice biographique

Né en 1905 à Saint-Hilaire-sur-Richelieu, Paul-Émile Borduas entre en 1921 à l'atelier d'Ozias Leduc qu'il assiste dans les travaux de décoration jusqu'en 1928. Après avoir suivi les cours du soir à l'École des arts et métiers de Sherbrooke, il fréquente de 1923 à 1927 l'École des beaux-arts de Montréal où il obtient, à la fin de ses études, des prix de dessin et d'anatomie. Professeur de dessin à l'école du Plateau durant un an, il démissionne et se rend à Paris pour étudier la fabrication du vitrail avec André Ruiny et les arts sacrés avec Maurice Denis et Georges Desvallières. Au cours de ce séjour en France (1928-1930), il tient un journal intime.

De retour au Québec en 1930, il enseigne à l'Externat classique Saint-Sulpice (1931-1943), ouvre un atelier de décoration murale (1932) et reprend son enseignement à la Commission des écoles catholiques de Montréal (1933-1938). En juin 1935, il épouse Gabrielle Goyette à Granby. De leur union naissent trois enfants Janine (1936), Renée (1939) et Paul (1940). Nommé en 1937 professeur à l'École du meuble où il remplace Jean-Paul Lemieux, il fonde avec John Lyman et Robert Élie la Société d'art contemporain dont il est le vice-président de 1939 à 1945.

Au printemps 1942, Borduas expose seul à l'Ermitage 45 gouaches qu'il présente comme des « œuvres surréalistes » et qui témoignent de son passage à l'abstraction. Au mois de novembre, il prononce une conférence, « Manières de goûter une œuvre d'art », à l'hôtel Windsor. À partir de ce moment, il connaît une période d'intense production et de fébrile expérimentation, alors que gravitent autour de lui ceux qui deviendront par la suite « les automatistes ». À leur côté, Borduas participe en avril 1946 à la première exposition du « groupe ». L'année suivante, le groupe expose à nouveau à Montréal, puis à Paris au début de l'été, mais Borduas refuse de participer à l'« Exposition internationale du surréalisme », organisée par André Breton. Congédié de l'École du meuble à la suite de la publication de *Refus global* en août 1948, il enseigne le dessin à son atelier de Saint-Hilaire où il s'était installé avec sa famille en 1945. Pour justifier sa méthode d'enseignement et ainsi répondre à son congédiement, il publie en 1949 *Projections libérantes*.

Pour des raisons de santé, Borduas doit ralentir ses activités. Il songe sérieusement à quitter le Québec pour les États-Unis. Après avoir passé l'été à Provincetown (Massachusetts), il s'établit à New York en 1953 et fréquente la plupart des peintres de l'expressionnisme abstrait. Il revient fréquemment à Montréal à l'occasion d'expositions, dont « La matière chante » (1954) qu'il organise avec Claude Gauvreau.

Après avoir signé un contrat avec la Martha Jackson Gallery de New York qui devient son agent exclusif, Borduas s'installe définitivement à Paris en octobre 1955. Abandonnant l'abstraction baroque, sa peinture se simplifie (période des tableaux noir et blanc). Il visite une grande partie de l'Europe avant de mourir à Paris le 22 février 1960. À titre posthume, il reçoit le prix Guggenheim pour son tableau *L'étoile noire*.

Table

Cet ouvrage composé en Sabon corps 10 a été achevé d'imprimer au Québec
en octobre deux mille dix-neuf sur les presses de Marquis Imprimeur
pour le compte des Éditions Typo.